POR ELA, POR ELAS, POR NÓS

ANA PAULA RODRIGUES DOS SANTOS
CINTIA RODRIGUES DOS SANTOS

ANA PAULA RODRIGUES DOS SANTOS
CINTIA RODRIGUES DOS SANTOS

POR ELA, POR ELAS, POR NÓS

Vencedor do Prêmio Marielle Franco de Ensaios Feministas 2020

São Paulo

2021

Alameda Itu, 852 | 1º andar
CEP 01421 002
www.loja-editoracontracorrente.com.br
contato@editoracontracorrente.com.br

Editores

Camila Almeida Janela Valim
Gustavo Marinho de Carvalho
Rafael Valim

Equipe editorial

Coordenação de projeto: Juliana Daglio
Projeto gráfico: Denise Dearo
Capa: Maikon Nery
Revisão: Karine Ribeiro

Prêmio Marielle Franco de Ensaios Feministas 2020

Júri

Anielle Franco
Marcia Tiburi
Sueli Carneiro

Comissão técnica

Nathália França
Anna Lyvia Custório Ribeiro
Eneida Desiree Salgado
Taylisi Leite

Dados Internacionais de Catalogação na Publicação (CIP)
(Ficha Catalográfica elaborada pela Editora Contracorrente)

S237 SANTOS, Ana Paula Rodrigues dos; SANTOS, Cintia Rodrigues dos.
Por ela, por elas, por nós | Ana Paula Rodrigues dos Santos; Cintia Rodrigues dos Santos – São Paulo: Editora Contracorrente, 2021.

ISBN: 978-65-884702-75

1. Feminismo. 2. Racismo. 3. Estudos Sociais. I. Título.

CDD: 305.42
CDU: 305.055,2

Impresso no Brasil
Printed in Brazil

@editoracontracorrente
f Editora Contracorrente
@ContraEditora

SUMÁRIO

PREFÁCIO

1º Concurso Marielle Franco de Ensaios Feministas. Uma iniciativa que honra a memória de Marielle, que repõe o sentido de sua existência exemplar, na qual se cruzaram diferentes dimensões da temática de gênero, notadamente, e as interseccionalidades de raça e classe abraçadas por ela como causas de seu corajoso protagonismo político como ativista e parlamentar.

Para uma velha militante feminista como eu, foi uma honra e um prazer desfrutar da leitura e avaliação desses ensaios que resultou numa experiência restauradora, revitalizante. Em cada um desses ensaios, a força e a resiliência do feminismo se afirma como teoria e praxis emancipadora para as mulheres a despeito de todas as estratégias em curso de perseguição, criminalização, ou deslegitimação do feminismo. Estratégias das quais a peja estigmatizadora de "idelogia de gênero" ou o avanço do fundamentalismo religioso, sobretudo nas escolas, são manifestações das mais nocivas para a construção da igualdade de gênero em nossa sociedade.

Em direção oposta, nesses ensaios, patriarcalismo, racismo, heteronormatividade, colonialismo, hegemonismo étnico e cultural são escrutinados, problematizados, denunciados e desautorizados em suas múltiplas manifestações.

Neles, a perspectiva feminista de apreensão do mundo se desdobra criativamente em novas epistemologias requeridas e empreendidas por olhares descolonizados que interrogam sem medo hegemonias ilegítimas que precisam ser deslocadas para que outras existências possam ser asseguradas, para que a diversidade humana possa se sentir em paz e em segurança nesse mundo que compartilhamos.

Neles, aparecem as múltiplas interdições socialmente impostas, especialmente a mulheres negras, deslocando-as para o território do *não-ser,* mas evidenciam também a capacidade libertadora que o avanço da consciência crítica pode alcançar e desembocar na luta coletiva por plena cidadania e dignidade humana.

Em outros, o foco das autoras é a violência: feminicídio, tráfico de seres humanos, estupro e abuso sexual, são esquadrinhados pela crítica aguda dos mecanismos por meio dos quais o patriarcado racista e heteronormativo assegura o seu controle e hegemonia sobre as mulheres.

Há ainda as autoras que apostam na "construção de novas subjetividades a partir de uma poética feminista". Outras nos trazem contra-narrativas diaspóricas que demonstram a redução do horizonte cultural da humanidade promovida pelo epistemicídio praticado sobre povos não ocidentais e o impacto disso sobre as mulheres.

Em todas elas, há a aposta na conscientização e organização política como chave da transformação individual e coletiva.

Nesses ensaios emerge, portanto, uma escrevivência, termo cunhado por Conceição Evaristo; uma escrevivência que vem da urgência de falar, de questionar, de compartilhar, uma escrevivência que se situa em algum lugar entre a literatura ficcional, a literatura de combate e o texto acadêmico, interrogando se pode haver para essa fala e essa escrita um locus de legitimação.

O prêmio que oferecemos essa noite traz essa confirmação. Sim, essa escrevivência é aqui legitimada e premiada em reconhecimento e apreço ao campo político e universo teórico forjado pelo feminismo, em seus diferentes matizes, em celebração ao protagonismo permanente que anima a nossa convicção de que um mundo liberto das opressões de gênero, raça e classe é uma utopia sobre a qual vale a pena refletir e escrever, uma utopia pela qual vale a pena viver e lutar, uma utopia pela qual, se necessário, estamos dispostas a morrer.

Marielle presente!

Sueli Carneiro
14 de outubro de 2020.

APRESENTAÇÃO

Estamos aqui em irmandade. Desta vez, para compartilhar a nossa experiência. Sem que soubéssemos, este projeto foi concebido na nossa adolescência. Naquela fase, começamos a perceber com força as diversas dores que nos atravessavam pelo simples fato de sermos negras: **sentíamos**.

Ocorre que não tínhamos embasamento teórico para trazer à consciência os nossos sentimentos: **não sabíamos** o que estava acontecendo.

No entanto, apesar da falta de conhecimento estruturado, com a nossa parceria inabalável iniciamos na juventude reflexões intermináveis e até divagações sobre o fenômeno social que tentava nos delimitar. Tais divagações renderam diversas teorias adolescentes; algumas em tom de brincadeira, mas todas profundas. Teorias que continuaram a ser discutidas quando nos tornamos profissionais e mães: sempre **refletíamos.**

Decidimos começar a escrever sobre a nossa experiência em 2019. E em 2020 o projeto se concretizou, considerando a possibilidade de participar de um concurso em homenagem a uma pessoa de imensa importância para todas nós: Marielle Franco.

É importante destacar que há algo que nos move para a escrita, apesar de não ser relacionada a nossas profissões. Vamos chamar esta força que nos impulsiona de "inquietação da nossa ancestralidade". Por conta dela, resolvemos encarar este desafio que envolve uma certa exposição difícil mas necessária.

Este é um projeto também cheio de lembranças, divagações, anseios, memórias de dor, dificuldades e alegrias. E o momento é especial.

Talvez porque nossa alma experimenta agora a mais sábia liberdade. Aquela que nunca havíamos vivenciado.

A liberdade de sermos nós.

INTRODUÇÃO

Este é um ensaio com reflexões sobre experiências literalmente sentidas na pele. Apresentamos aqui muitas perguntas. A motivação vem do sentir e da mistura de análises histórico-filósofo-socio-psicológicas-poéticas-informais de ser negra em espaços que, nos disseram, não poderiam ser nossos e, às vezes, até naqueles que disseram que poderiam nos pertencer. Negra, antes de ser menina. Negra, antes de ser mulher. Negra, antes de ser profissional. Negra, antes de ser esposa. Negra, antes de ser possibilidade. Negra, antes de ser mãe. Negra, antes de ser humana.

Escrevemos em parceria. Não faria sentido se fosse diferente. Este ensaio reflete uma mistura de percepções que foram iniciadas pelas autoras na mais tenra idade, então a autoria é somada e às vezes se confunde. Usamos o eu e o nós. Em algumas situações percebemos que sentimos parecido e em outras muito diferente. As experiências se somam. Que possibilidade incrível ter uma irmã-parceira para compartilhar estas conversas, e mais: escrevê-las e registrá-las.

O texto fala de experiências vividas que, se forem observadas com um olhar menos aprofundado, podem parecer localizadas e únicas. Mas não são. Estamos falando da sociedade brasileira. Sendo assim, partimos de situações que parecem individuais para convidar o leitor à reflexão ampliada.

No concurso citado, este texto se enquadrou na Categoria Feminismo Negro. Não somos estudiosas do assunto. Podemos dizer que nosso conhecimento é empírico e informal. Percebemos há pouco tempo que muitas das nossas reflexões de adolescentes já haviam sido estudadas e teorizadas e, hoje em dia, estão mais acessíveis. Mais. São agora discutidas, aprofundadas, continuadas, amplificadas. É triste pensar em quanto sofrimento poderia ter sido evitado se na época pudéssemos entender melhor os fenômenos sociais que nos atravessaram.

Isso posto, entendemos que, especialmente para as pessoas não negras, algumas leituras fazem-se imprescindíveis para aqueles que desejam entender a nossa escrita. Enfim, leiam pessoas negras. Escutem-nos. Dialoguem conosco.

Consideramos a nossa fala um instrumento de denúncia e crítica social. Não somos acadêmicas, mas aprendemos a ler a dura sociedade em que vivemos.

Este ensaio é apenas uma contribuição, mais uma, mas não é individual. É compartilhada. É minha, é sua, é nossa. De nós duas! De nós três. De nós cinco. De nós oito. Da nossa família. Dos nossos gigantes e de tantos outros.

CAPÍTULO 1

NEGRA MENINA: OS CHOQUES DA INFÂNCIA

Aqui listamos as reflexões da infância. Quando crianças, a nossa existência passou por muitos episódios agressivos. E a compreensão total dessas agressões ocorreu muitos anos depois. Compartilhamos aqui algumas, apenas algumas, das histórias para embasar a nossa reflexão.

1.1 História 1 – "Mãe, ele chorou para não dançar quadrilha comigo!"

O mês era junho e o local, talvez o mais difícil: a escolinha. Era meu primeiro contato com esse ambiente. A tradicional festa junina, motivo de horror para muitas meninas negras. É necessário formar "o par". Eu, a única criança negra, com meu cabelo curto e feliz em poder participar. Eu jamais seria a noiva. Afinal, no contexto colocado, apenas aquela menina loira poderia ocupar a posição de destaque. A professora me indicou como par para um menino. Ele olhou para mim com desprezo. Chorou, gritou, implorou à professora para não dançar comigo e de fato não dançou. Eu tinha cinco anos de idade...

Por qual motivo era necessário formar "o par"? Por que ele não quis dançar comigo? Quais foram os impactos desse episódio no meu desenvolvimento?

1.2 História 2 – "Já te falei para não brincar com estes pretos..."

Crescemos tendo um importante vínculo com esportes. Tínhamos acabado de mudar para São Paulo. O choque foi grande ao sair de uma cidade pequena para a grande capital. Era um bairro de classe média e estávamos lá, três irmãos jogando vôlei na rua e desfrutando da nossa inocência. Em seguida, nossa vizinha, uma menina branca de idade próxima a nossa, perguntou se poderia brincar conosco. Nós a acolhemos, afinal para nós ela era mais uma criança em busca de diversão na cinzenta São Paulo. Por volta das 17:00, a mãe dela voltou do trabalho e a viu brincando conosco. Imediatamente a retirou da roda e sem se preocupar se ouvíamos ou não falou: "*Já te falei para não brincar com estes pretos... vá para casa agora*". Ficamos chocados, sem entender direito e certamente marcados.

Por que aquela menina não podia brincar conosco? A partir desse episódio, como seria o relacionamento dela com pessoas negras? Vizinha racista, você nos feriu, mas não nos impediu de continuar nossa caminhada!

1.3 História 3 – A quinta série D

Sempre estudamos em escolas públicas. No rigor da nossa educação éramos obrigados a obter as notas máximas na escola. Reforçavam que não estudávamos em uma instituição de ensino rigoroso, então essa era a nossa obrigação mínima.

Neste contexto, nós três tivemos sempre que ser bons alunos. A profissão de nosso pai impunha à nossa família constantes mudanças. Fato que demandava recorrentes adaptações, sempre dificultadas pela cor da nossa pele.

Ao mudarmos para a cidade de São Paulo, conseguimos vaga na escola pública mais próxima. Na transição para o que seria o então ginásio, fui matriculada na temida "quinta série[1] D". Mais tarde, descobrimos que os alunos eram segregados por sua dita "capacidade". Essa era a turma dos "repetentes". São tantas as agressões em tudo isso. Por que os alunos tinham que ser segregados? O que a cor da minha pele tinha com isso? Era a "pior turma". Hoje, analisando tudo isso, parece que o entendimento da escola era que uma criança negra somente seria enquadrada naquele contexto.

Naquela turma sofri agressões de todo tipo, especialmente racistas. Xingavam-me, ameaçavam bater em mim e no meu irmão. Isso continuou até o dia em que fiz amizade com a temida "Grilo". Ela era uma

---

[1] A quinta série, na época, equivalia ao sexto ano do ensino fundamental I dos moldes atuais.

adolescente negra de pele retinta, usava uma linda trança embutida e era cheia de si. O apelido "Grilo" surgiu porque o salto dela se destacava nos esportes. Ela batia em todos os meninos que a ofendiam, então com o tempo ninguém a incomodava. Eu admirava a sua força e coragem. Ela me protegeu e eu pude finalmente fazer a única coisa que me cabia na escola: estudar em paz. Nunca pude entender a real história da Grilo. Certamente ela passou por muitos episódios de opressões.

Grilo, qual era o seu nome? Qual era a sua história? Quais eram seus sonhos? Por que você repetiu de ano e teve que ir para a quinta série D? Você tinha uma família que te apoiava e que te ajudava a estudar? Por que te colocaram um apelido associado à sua capacidade esportiva? Por que você teve que obter respeito somente após "bater" nos meninos da escola? Você gostava que te chamassem de Grilo?

Vivemos naquela época uma irmandade preta. Você é uma gigante para mim. Gostaria de poder te abraçar e agradecer. Espero que algum dia possamos nos encontrar.

1.4 História 4 – "Mexa comigo, mas não mexa com a minha IRMÃ"

Mais uma mudança demandada pelo trabalho do meu pai. Desta vez, mudamos apenas de bairro. Era uma nova escola, e precisamos nos readaptar. Lembro-me que eu nem dormia na noite anterior ao temido "primeiro dia de aula na escola nova". Eu ainda era aquela criança dedicada e a única negra da turma.

Eu e minha irmã íamos e retornávamos da escola caminhando. Juntas! E eu, a mais velha, sentia-me obrigada a garantir que ela não tivesse problemas. Continuei sendo uma menina quieta e me esforçava para tirar as notas máximas exigidas pelo meu pai. Hoje o agradeço por isso, mas na época eu detestava.

O ano era 1995. Lembro-me que estava na aula de História aprendendo sobre a antiguidade. De repente, minha irmã me procurou, aos prantos. Relatou fortes agressões racistas contra ela na sala de aula. Saí imediatamente e, num ímpeto por justiça, invadi a sala de aula dela. E eu, aquela menina reservada, tímida, acanhada, ganhei a força dos meus gigantes e discursei por trinta minutos sobre racismo. Citei bases legais sempre ensinadas por nossa família. A professora, que estava em sala, ouviu a minha fala e ficou em silêncio. Não disse uma palavra sequer. Não se manifestou na ocasião em que a minha irmã havia sido agredida. E nem depois. **Naquele ano, ninguém mais a ofendeu**. O objetivo foi atingido e nossos pais só souberam do ocorrido muitos anos depois...

Professores, estamos em 2021, gostaríamos de saber se vocês estão de fato preparados para zelar pela integridade psicológica das nossas crianças em sala de aula. Vocês estão preparados para abordar, de maneira profunda, as questões raciais?

1.5 História 5 – A professora de matemática que não acreditou na "neguinha"

Esta história ocorreu em outra escola, em outro município. Mais uma mudança. Era a sexta escola até então. Eu estava no último ano antes de ingressar no que hoje seria o ensino médio. Nossa família empenhou esforços extraordinários para conseguir uma vaga (com o ano letivo já iniciado).

Lembro-me bem de meu pai argumentando enfaticamente com o diretor da escola, que por sua vez insistia em dizer que não havia vagas para nós. Nosso pai insistiu citando argumentos legais. Vale destacar que a abertura de vagas nas escolas públicas era um direito garantido em lei devido às recorrentes mudanças dele enquanto servidor público.

Nosso direito foi reconhecido somente após ele se identificar como advogado e de sugerir utilizar mecanismos legais para garantir nosso estudo.

E se ele não fosse advogado?

Depois que ingressamos na escola, constatamos, mais uma vez, que éramos quase as únicas.

Eu gostava muito de matemática e sempre me destaquei. Meu desempenho estava fortemente relacionado ao esforço de nossa família. Estudávamos em casa todos os livros que não eram finalizados na escola.

A escola técnica pública e de qualidade era vista por mim como a única opção de acesso para um ensino de melhor qualidade e que poderia aumentar minhas chances de ingressar na universidade pública.

Eu estava estudando sozinha em casa para o que é chamado de "vestibulinho". Trata-se de uma prova para acesso à escola técnica de nível médio. Lembro de solicitar apoio à professora de matemática em demandas que eram difíceis para mim. Até hoje recordo-me do olhar de desprezo que recebia daquela professora. Para ela, eu não era digna de atenção. O foco era a preparação dos outros alunos que já eram seus conhecidos há tempos e que também estavam se preparando para o exame. As minhas chances eram iguais às dos demais candidatos? Professora racista, gostaria de te dizer que você não foi capaz de me impedir de realizar meus sonhos.

Professores, estamos em 2021, gostaríamos de saber: vocês estão preparados para acreditar, de fato, no potencial das nossas crianças?

1.6 História 6 – Racismo da educação infantil até a universidade

Ah, a escola! Quanta expectativa e tantos medos para iniciar minha vida escolar! Afinal, meus irmãos já a frequentavam, e parecia ser um local tão legal. Poderia fazer amigos, mas teria que ficar longe de minha mãe; isso me causava um certo medo.

Em 1990, aos cinco anos, ingressei na educação infantil em uma escola particular em uma cidade da grande São Paulo. Tínhamos acabado de nos mudar e tudo era novo para mim. Foi a minha primeira experiência com o racismo.

No primeiro dia, fiquei muito assustada. Nunca tinha ficado tanto tempo longe de minha mãe; lembro de ter chorado todo o tempo que fiquei lá. Depois de algum tempo, consegui me acostumar com a escola. Sempre amei desenhar e levava minha caixa de lápis de doze cores, mas não queria dividi-la com as outras crianças. Foi dito à minha mãe que era preciso trabalhar o meu egocentrismo...

Quando lembro daquele lugar, sinto uma solidão. Sempre estava sozinha e acho que essa solidão na escola me perseguiu por muitos anos escolares até o fim do ensino fundamental 2, quando finalmente fiz grandes amizades. Essa solidão tinha nome: RACISMO. Não tinha amigos porque as outras crianças diziam claramente, tão claro quanto suas peles: "Não vou brincar com você porque você é preta". Lembro que nenhuma professora se envolveu na história, não havia nenhum projeto realizado pela escola que abordasse o racismo.

Santiago (2015) discorre sobre essa situação que vivi quando criança e a postura de meus professores frente ao racismo em seu artigo "Gritos sem palavras: resistências das crianças pequenininhas negras frente ao racismo":

> Esse acontecimento pode parecer apenas um detalhe no cotidiano da educação infantil, mas influencia diretamente a construção de uma percepção racializada dos sujeitos, podendo gerar sentimentos de recusa às características raciais do grupo negro e fortalecer o desejo de pertencer ao grupo branco. É importante também salientar que a postura da docente em silenciar-se frente ao preconceito racial exposto sinaliza à criança discriminada que ela não pode contar com a cooperação de seus/suas docentes. Por outro lado, para a criança que discrimina, sinaliza que ela pode repetir a sua ação visto que nada é feito, seu comportamento nem sequer é criticado no âmbito do preconceito racial.

Mais tarde, tornei-me professora. No Brasil, após muitas lutas, foram aprovadas as leis 10639/03 e a 11.645/2008. Lembro-me que em um dos locais que trabalhei ouvi algumas colegas professoras comentando, após irmos em um seminário sobre estas leis, o quanto elas não tinham sentido e eram desnecessárias.

Talvez para elas, brancas que nunca sentiram na pele a experiência de não saber nada sobre sua história e de sofrer racismo desde a tenra infância, não fazia sentindo saber sobre a cultura e a história de minha família e de mais de 50% da população brasileira.

Muitos educadores parecem não saber que a lei nunca veio gratuitamente para o povo negro; ela é um conjunto de luta de muitos anos de vários movimentos sociais, principalmente o movimento negro.

Quando ouvi minhas colegas desqualificando as leis 10.639/03 e 11.645/2008, pensei como vivemos em um país injusto onde uma lei é necessária para que a nossa cultura e história seja incluída nos currículos escolares. Santana[2] (2010, p.98 e 99), em seu artigo "Diversidade cultural, Educação e Transculturalismo", discute a relação da escola e os currículos. Para o autor, "os currículos corporificam relações de força que ajudam a produzir identidades sociais, prolongando várias das relações de poder existentes na sociedade e entende o currículo não apenas como conjunto de conhecimentos, mas um Artefato social e cultural que produz inclusões, exclusões e subalternidades".

Já Shujaa[3] comenta que políticas públicas curriculares dizem respeito à educação e não somente a processos de escolarização. Trata-se de, juntamente com a aquisição de conhecimentos, reeducar relações sociais, étnico-raciais, valorizar e apoiar conhecimentos, valores, ações políticas de povos tidos como superiores.

Assim, quando me tornei mãe, tinha pavor de que minha filha sentisse e passasse pelo que passei na escola, porque a experiência do racismo que começou na educação infantil perpetuou-se até a minha faculdade. Claro, na faculdade as meninas não podiam falar abertamente que não queriam contato comigo porque sou preta, mas como éramos somente dois alunos negros e bolsistas em uma sala de sessenta estudantes, seus olhares já me diziam o lugar que eu deveria estar – certamente não no curso de Artes Visuais com ênfase em Design na universidade de minha cidade.

---

[2] SANTANA, Moisés. "*Diversidade cultural, educação e transculturalismo crítico – um rascunho inicial para discussão.* Cadernos de Estudos Sociais - Recife, vol. 25, 2010, pp. 98 e 99. Disponivel em: https://periodicos.fundaj.gov.br/CAD/article/view/1419. Acesso em 10.04.2020

[3] SHUJAA, Mwalimu J. (Coord.). *Too Much Schooling, Too Little Education. Trenton,* New Jersey, Africa World Press, 1994.

Sou eternamente grata ao meu querido amigo Alexandre da Silva, que já não está entre nós. Não fui tão sozinha na faculdade, porque juntos conseguimos suportar toda opressão que lá sentíamos.

Obrigada por seu apoio e companheirismo. Juntos conseguimos nos formar com muita dificuldade, pois tínhamos que trabalhar de dia e nos finais de semana e estudar à noite. Sem você, com certeza minha faculdade seria muito mais difícil.

1.7 História 7 – O ingresso do Playcenter e quando quiseram me dar uma caneta

Como já foi falado, nossa família viveu em muitos lugares, devido às transferências que meu pai era obrigado a fazer como militar. A transferência mais esquisita e desrespeitosa aconteceu no fim de 1995.

Quando decidem transferir pessoas dos seus locais de trabalho, transferem não somente uma pessoa, mas uma família. Companheiras deixam seus postos de trabalho e crianças saem da escola em outubro sem completar o ano letivo.

Meu pai foi transferido para uma cidade da grande São Paulo após ficarmos apenas seis meses em um apartamento militar, que conseguimos depois de três anos na fila. Como não tínhamos condições de pagar o aluguel de uma casa adequada para a nossa família na cidade em que ele havia sido transferido, fomos morar no interior, em nossa casa própria.

Meu pai viajava todos os dias para trabalhar e meu irmão ficou morando com minha avó, pois havia ingressado em uma escola técnica em São Paulo. Em março de 1996, meu pai conseguiu uma casa na vila militar próxima ao trabalho e novamente mudamos de cidade. Estudamos por apenas três semanas na escola do interior.

Eu e minha irmã fomos estudar na melhor escola pública da cidade – assim disse o amigo de meu pai.

A melhor escola da cidade foi assustadora para mim, assim como todas as outras em que tive de ingressar no meio do ano letivo. Entrei na sexta série C, que era horrível. Acho que estudava com mais de quarenta alunos na sala de aula. Lidei com faltas constantes de professores, indisciplina geral dos estudantes, tudo um caos. Minha solidão continuou e somente consegui fazer amigos no ano seguinte.

Hoje agradeço por termos ido morar nesta cidade; foi onde passei minha adolescência e ficamos por mais tempo. Finalmente fiz muitas amizades que trago em meu coração até hoje. Pude ter uma turma; éramos dez na sala e, por mais que tivéssemos conflitos e eu precisasse brigar para ser respeitada enquanto adolescente e preta, minha luta contra o racismo ficou um pouco menos pesada com as grandes amigas que fiz naquela escola.

Como finalmente tinha uma turma, decidimos ir ao Playcenter, que era o maior parque de diversões do Brasil. Aos catorze anos, eu nunca havia ido. Fiquei responsável por comprar os ingressos e meus pais me deixaram ir sozinha.

Estava muito feliz e um tanto receosa, porque não tinha o costume de andar sozinha em São Paulo, principalmente em uma região com pouco movimento de pedestres. Naquele dia aconteceu algo peculiar: um homem que estava andando em minha frente na calçada ficou olhando para trás muitas vezes. Percebi que ele estava com medo de mim.

Foi um choque! Eu que deveria estar com medo dele! Eu era apenas uma menina de catorze anos, mas eu já sabia naquela época que ser adolescente negra em São Paulo era sinônimo de "trombadinha". Mais uma vez percebi o quanto a cor de minha pele falava muito mais sobre mim do que o que realmente sou. Se eu fosse uma menina branca, teria a mesma experiência?

Não foi a primeira vez e tampouco será a última vez que pessoas brancas me fizeram sentir que tinha menos valor que elas. Na semana passada estava caminhando em meu bairro em Campinas e duas senhoras brancas mudaram estranhamente o trajeto ao perceberem que eu estava fazendo caminhada atrás delas. Será que uma mulher negra não tem direito de caminhar em seu bairro sem ser confundida com bandidos?

Faz mais de vinte anos que a história do Playcenter aconteceu comigo e sinto que continuará acontecendo até que haja transformações profundas em nossa sociedade. Almeida,[4] aborda como o racismo se materializa como discriminação racial e ele é definido por seu caráter sistêmico, não se tratando apenas de um ato discriminatório ou um conjunto de atos, mas um processo que atinge todos os âmbitos sociais como na política, economia e nas relações cotidianas. O autor também discute como o racismo está estruturado na sociedade contemporânea, "fornecendo sentido, a lógica e a tecnologia para a reprodução das formas de desigualdade e violência que moldam a vida social contemporânea".

Muitas vezes ando arrumada para tentar não correr o risco de ser discriminada e percebi que, em outras famílias negras, as pessoas também o fazem para não passar constrangimentos, para não sermos julgados pela aparência. Porque ser negro neste país é sinônimo de uma condição social ruim, é sinônimo de tudo o que é negativo.

A história a seguir mostra a nossa falta de lugar: ora vamos assaltar pessoas brancas, ora precisamos da caridade delas.

Minha paixão por canetas coloridas e lápis vem desde muito cedo. Quando tinha nove anos, tive vontade de comprar uma caneta em gel que estava na moda. Guardei meu dinheirinho por algum tempo.

Em um belo dia antes da aula em minha escola em São Paulo, passei em uma papelaria próxima, perguntei para a vendedora quanto custava a caneta roxa, contei meu dinheirinho e percebi que faltava uma parte. Falei para a vendedora que não iria levar, mas uma senhora branca falou:

– Pode comprar que pago para você.

Saí correndo, pois meus pais sempre falavam do perigo de se falar com estranhos. Senti a sensação que me acompanhava desde que começamos a morar ali: aquela caridade me fez sentir uma menina em situação de vulnerabilidade social. No entanto, minha família tinha condição de comprar aquela caneta. A grande questão para mim é que aquela senhora achava que eu precisava da caridade dela só por ser negra.

---

[4] ALMEIDA, Silvio. *Racismo estrutural*. Pólen Produção Editorial LTDA, 2019.

A todo momento, as pessoas brancas em São Paulo nos mostravam a posição que deveríamos ocupar e que até hoje alguns desejam que ocupemos: pedintes ou ladrões. Nos querem precisando de repressão ou de caridade.

Penso o que falaria para essas pessoas: "Não vou te roubar, senhor" e "Não preciso de sua caridade, senhora! Sou apenas uma menina!".

1.8 Como digerir a infância das nossas filhas sem ter aceitado a nossa?

Ao refletir e consolidar as diversas experiências na escola, concluímos que não parece um lugar seguro para crianças negras.

Mães não negras, vocês sentem pânico ao imaginar seus filhos na escola? Nossos filhos estão em igualdade de condições? Nossa pauta na reunião da escola é a mesma? Escolas, vocês estão preparadas para nós?

Vamos continuar a nossa luta diária para que nossas crianças tenham o direito de ser apenas crianças, e só.

CAPÍTULO 2

NEGRA MULHER: DESCOBRINDO QUE HÁ ALGO MUITO ERRADO

Devido às experiências dolorosas que tentam nos diminuir desde que nascemos, por muito tempo nos sentimos pequenas. Cada uma à sua maneira. Cada uma com a sua percepção. Cada uma com o seu mecanismo interno. A fase adulta possibilitou-nos um amadurecimento para que, enfim, pudéssemos processar melhor a nossa história, refletir e nos apropriar das nossas conquistas que, pelas dificuldades impostas, têm um valor diferente.

Sobrevivemos a uma sociedade machista e racista e continuaremos assim. Esta sociedade tem o direito de se sentir leve? Em paz? Qual é a herança da sua história? A nossa é a da luta.

2.1 Estratégias de sobrevivência – A tão sonhada universidade

Conseguimos burlar todo o sistema que não nos permite acreditar em nós. Finalmente, acessamos a universidade! Era um sonho. Muito batalhado. Tivemos, na mesma época, a experiência na universidade pública e na privada. Mais uma experiência dividida e refletida entre irmãs.

Vale destacar que a experiência na universidade pública pareceu-nos menos dolorosa, pois esta recebia pessoas de todo o país, fato que a tornava mais diversa. Já a universidade privada mantinha o ranço dos alunos que derivam dos descendentes da última cidade do nosso país a abolir a escravidão, de acordo com SILVA).[5] Segundo o mesmo autor, ser vendido ao barão do município em que vivíamos era considerado um castigo para as pessoas negras escravizadas.

Foi onde nascemos e também cursamos a universidade, após muitas e muitas mudanças de escola.

---

[5] SILVA,A.J. *Ser vendido a barão de Campinas era castigo para escravos.* 20/11/2015. Disponível em HYPERLINK "http://g1.globo.com/sp/campinas-regiao/noticia/2015/11/ser-vendido-barao-de-campinas-era-castigo-para-escravos-diz-advogado.html.Acesso: http://g1.globo.com/sp/campinas-regiao/noticia/2015/11/ser-vendido-barao-de-campinas-era-castigo-para-escravos-diz-advogado.html. Acesso em_07.06.2020.

Esta mesma universidade particular foi acessada por nosso pai, mas a condição dele era bem diferente: ele era casado, tinha três filhos e um enorme compromisso com o trabalho.

Enfim, nós fomos a geração que pôde cursar a universidade de maneira um pouco mais "livre". E isso já significava muito.

Na universidade privada, o trote acontecia no primeiro dia de aula. Este foi um momento de exclusão, pois somente as pessoas brancas pareciam ser "bixos" e "bixetes". Tive que falar que era aluna do curso para que os veteranos compreendessem que existiam pessoas negras naquele curso.

Na universidade pública, o acolhimento foi outro. No primeiro dia de aula foi possível fazer uma amizade muito importante que, felizmente, mantenho até os dias de hoje. Cada dia tenho mais certeza que o encontro com essa amiga querida não foi obra do acaso. No decorrer do tempo, pude também conhecer outras pessoas muito importantes para mim, com as quais aprendo. Com algumas, tive a alegria de compartilhar a vida universitária e agora, também, a caminhada na vida adulta. Pessoas assim nos ajudam a manter a esperança.

A estratégia inicialmente adotada foi a de alienação total. Focar a vida apenas nos estudos e esquecer o resto. Na verdade, confesso que não me sentia digna de estudar em tão importante instituição. Pessoas negras lá eram raridade. Hoje eu reflito a respeito. Por qual motivo eu sentia isso? Por que o peso da capacidade era percebido de maneira diferente para mim? Esta era uma questão para todos os estudantes?

Sentia um pavor imenso de não acompanhar o curso de engenharia. O abismo social era gigante. Eu não fazia outra coisa da vida além de estudar.

Eu tinha dezenove anos e planejava viver os próximos anos dessa maneira. Até que um dia minha querida irmã, após clamar de maneira recorrente, sem sucesso, por minha atenção, reivindicou sua companheira dos velhos tempos e me escreveu o seguinte bilhete: "*Minha irmã, quem é exato, não é humano e não é feliz*".

Ela, estudante de artes, virou poeta e me trouxe de volta à vida. Ela me fez perceber que eu tinha o direito de ser universitária e de também experimentar a plenitude da juventude. E aqui te agradeço por isso, minha irmã.

2.2 O nosso direito ao trabalho

Será que sentimo-nos seguros de nos arriscar a qualquer oportunidade de trabalho? Teríamos inúmeras histórias para contar sobre a "mão invisível" que define o lugar das mulheres e das pessoas negras nos processos seletivos.

Quando ocorre uma crise econômica, as estatísticas mostram que as pessoas pretas e pardas são as mais afetadas. São vários os exemplos disso.

Certa vez uma colega branca, que é executiva de uma empresa privada, teve essa percepção e comentou comigo que, na situação de crise econômica, foi solicitada a demitir, primeiramente, a pessoa negra: uma mulher. Relatou-me que não concordava com o que havia sido demandado, considerando as questões de desempenho apresentadas, e que questionou seus gestores. Naquela ocasião, refletimos juntas sobre as injustiças que assolam a sociedade.

A fala dela não era novidade para mim, no entanto, achei importante ouvir isso de uma pessoa branca. O que eu disse a ela foi algo mais na linha de dizeres populares "*Quando o bicho pega, somos os primeiros a cair e os últimos a levantar.*"

Aliás, essa expressão popular é verdadeira sempre e não só quando o "bicho pega". É muito chocante perceber que a remuneração pelo trabalho tem cor e gênero. Considerando o estudo do DIEESE (2016), constata-se uma hierarquia nas remunerações. O citado estudo apresenta os rendimentos médios reais por hora nas Regiões Metropolitanas e Distrito Federal – 2015 por grupo e estes seguem a seguinte ordem (do maior para o menor):

- Homens não negros
- Mulheres não negras
- Homens negros
- Mulheres negras

O estudo destaca:

> ... permanecem as práticas de subvaloração da força de trabalho da mulher negra. O rendimento médio por hora trabalhada para elas era inferior ao dos demais grupos, em especial ao dos não negros, em todas as formas de inserção no mercado de trabalho, reafirmando a duplicidade de discriminação – raça/cor e sexo.

Sempre me questionei. Estou na base. Sou mulher e negra. A sociedade determina um lugar para mim, lugar este que, em função de diversas circunstâncias da minha trajetória, ousei não ocupar.

O artigo publicado pelo Inper e elaborado por Ribeiro[6] *et all* (2020) apresentou dados de remuneração por gênero e raça e por profissões, separando os resultados por grupo de pessoas que cursaram o ensino médio e a universidade em função da dependência administrativa (pública ou privada).

No referido documento é possível observar que a diferença de remuneração entre homens brancos e mulheres negras aumenta na medida que a escolaridade avança, chegando a 159%. Podemos observar também que quanto mais elitizada a profissão, maior a diferença salarial entre os citados grupos, sendo que em todos os cenários a remuneração da mulher negra é a menor.

Tais espaços elitizados são de difícil acesso e ainda mais difíceis para nós. Quantas advogadas, médicas e engenheiras você conhece? Quantas delas são negras? Por que temos que ser exceção? E por que temos que viver com pouquíssimas referências?

Ao considerarmos os dados acima expostos, aquelas pessoas que dizem que não há racismo, que tudo se trata de uma questão financeira e de acesso à educação, ficam sem argumentos. O recado da sociedade para nós é este: *quanto mais você ousar sair do lugar que determinamos, mais faremos instrumentos para te deixar longe do topo*. E algumas pessoas pagam de imediato com a própria vida, como foi o caso da Marielle.

---

[6] RIBEIRO, Beatriz Caroline; KOMATSU, Bruno Kawaoka; MENEZES-FILHO, Naercio. Diferenciais Salariais por Raça e Gênero para Formados em Escolas Públicas ou Privadas". INSPER. *Policy Paper*, n. 45. Jul. 2020.

Digo "de imediato" porque foi um caso extremo. Mas quanto da nossa saúde e vida desde a infância vamos perdendo por conta do racismo, machismo e das escolhas que não podemos fazer? E quanto às oportunidades que não podemos acessar? E da liberdade que não podemos desfrutar? Quantos anos a mais poderíamos viver se não fossem esses tantos episódios? E com que qualidade?

Então reflito: se está difícil para nós, como deve ser para as mulheres trans negras no mercado de trabalho, que sofrem uma opressão adicional? Será que elas têm o real direito a vivenciar seus talentos? Como é a expectativa de vida para elas?

Diante do acima exposto, crescemos ouvindo a seguinte frase: "*Seja aprovado em um concurso público, assim ninguém vai te demitir injustamente*". Tem ideia do quão libertadora e aprisionadora é essa frase? Ouvimos tal recomendação durante todas as fases da vida. Eu me pergunto: o que devo falar a minha filha?

Ingressamos no mercado de trabalho após a Constituição de 1988 e isso significa muito. Como era antes? Como seria se a constituição não exigisse os concursos públicos, já tão concorridos? Será que estaríamos onde estamos hoje? E se já tivéssemos cotas raciais desde então? São tantas perguntas!

2.3 E o nosso lugar?

Nossa infância foi protegida, em partes, quando vivíamos no interior. Já na capital fomos rigorosamente massacrados.

Aprendemos desde cedo que os recursos financeiros e a posição social jamais amenizariam o racismo. O sistema de opressão é tão cruel que te obriga a viver com medo. Para seguir em frente, é necessário acessar alguns mecanismos importantes.

É importante destacar que, embora vivenciado uma vida simples e cheia de limitações, diferente da maioria da população negra, não precisávamos trabalhar para o nosso sustento, o que já é uma vantagem enorme, mas isso não elimina as dores vivenciadas.

As evidências mostram que, se estamos em situação de vulnerabilidade, nos matam, com ou sem bala. Quando não temos acesso à educação, nos julgam. Quando temos, nos prejudicam. Quando não temos trabalho, nos discriminam. Quando temos, nos exploram e nos relegam às piores posições. Matam os nossos. Quando ascendemos, nos impedem, duvidam e desqualificam. Sempre tentam nos limitar. Obrigam-nos à perfeição que não é exigida das demais pessoas. Agem em todas as fases para matar nossos sonhos e as nossas esperanças. Destroem nossos símbolos. Desacreditam nossos representantes. Não há lugar seguro para nós.

2.4 Minha classe social é ser negra

Esse título soa estranho. Mas achei que era o mais adequado para este capítulo.

Minha conta bancária há muitos anos foi alterada para estas classes de "luxo", como se o dinheiro que você tem na conta te fizesse diferente de alguém. Perca seu emprego para ver o que acontece...

Na época, não gostei. Mas depois me vi no direito de usufruir de um "privilégio" que há anos foi tirado dos meus. Sim, dos nossos.

Eu estava na fase do puerpério, ou seja, tinha uma criança de poucos meses. Entendedoras entenderão. Sem dormir direito, sem saber quem eu era com tantas mudanças e ficando o dia sozinha com uma criança em casa mamando o tempo todo. Após anos economizando, achei que tinha direito de ir ao banco para finalmente quitar um financiamento. Estava feliz. Morrendo de medo de ter que amamentar no caminho (a maternidade é assunto para outro capítulo), alimentei substancialmente minha filha com uma mamada bem longa. Coloquei minha pequena bebê em um *sling,* dei uma arrumada no cabelo (cabelo também merece um capítulo só para ele), feliz da vida peguei o transporte e enfim cheguei ao banco. Tudo correndo para não ter que interromper o processo. Ufa!

Ao chegar ao banco, deixei os utensílios que pudessem fazer soar o alarme da porta no armário externo e me posicionei para entrar. O segurança chegou em mim e perguntou o que eu queria lá. Eu não entendi direito. Estava em pânico pensando que seria terrível se minha bebê chorasse e eu tivesse que amamentar ali. Na verdade, eu só pensava nisso, em ter que amamentar em um local hostil. Como assim?, perguntei. Ele perguntou novamente o que eu queria lá. Falei que queria entrar. Ele olhou estranhamente e falei: "sou cliente desta agência". Ele abriu a porta e me deixou entrar.

Esperei minha vez em um sofá confortável. Foi inevitável... minha filha chorou. Não. Ela gritou. Tive que amamentá-la. Logo depois me chamaram. Adrenalina alta. Finalmente o financiamento estava quitado. Ufa.

Ao sair da agência bancária, olhei para o segurança. Vi muitas mulheres como eu. Negras mulheres com bebês no colo. Mas havia uma diferença: elas estavam pedindo dinheiro. Então comecei a entender o que tinha acontecido. Sim! Aquele segurança não me identificou como cliente daquela agência de "luxo" e sim como mais uma negra mãe pedinte! Foi um soco no estômago. O que me diferencia daquelas mulheres? Qual a diferença da nossa humanidade? O que em mim há de diferente daquelas mães que lutam por seus filhos? Me colocaram em um banco de luxo no qual sequer posso entrar. A culpa seria do segurança? Gostaria de saber: onde está a real violência? São tantas as agressões e aqui a sociedade me apresentou uma grande contradição.

Episódios similares acontecem com frequência. Já fui impedida de entrar na minha própria casa e sou frequentemente questionada em ambientes elitizados.

Da mesma maneira, certa vez, na região central da cidade onde resido, um policial olhou fundo nos meus olhos ao perceber minha aproximação, sacou a arma e ficou me olhando profundamente até eu passar e sair do campo de visão dele. Olhei para trás, ele ainda estava me olhando.

O que eu represento para ele? Chorei. Senti medo. Assustei-me, mas não. Não vou desmoronar. Não vou!

Para a sociedade, a minha imagem já tem um lugar determinado. É assim que a reflexão que me levou ao título deste capítulo permanece. Continuo sem respostas satisfatórias.

2.5 Como continuar?

Após um episódio público e marcante de racismo que abalou fortemente as minhas estruturas, entendi ser inevitável procurar ajuda psicológica.

Era um momento decisivo para mim. Pela primeira vez, sucumbi. Ao procurar ajuda psicológica, em pouco tempo percebi que a profissional não estava habilitada suficientemente para tratar da dor e do estrago causado por aquele episódio. É mais profundo do que ela conseguia chegar. Consegui apoio de verdade junto à minha família. Trabalhei minha dor com eles. Eles sim sabiam do que eu estava falando. Sentiram a minha dor e me ampararam.

Tive apoio também de duas amigas muito próximas e de um acadêmico militante do movimento negro, conhecedor experiente da máquina esmagadora de pessoas negras que é a sociedade brasileira. Ele me acalmou, mostrou-me caminhos, racionalizou o ocorrido e me acolheu. Soube há pouco tempo que ele não está mais entre nós. Aqui, registro por você a minha eterna gratidão.

Como seria se eu não tivesse vocês?

A máquina é tão cruel, mas consegui continuar.

Na época, eu não tinha conhecimento dos apoios disponíveis relacionados diretamente à saúde da população negra. Anos depois pude acessar o apoio psicológico necessário direcionado à população negra, pelo qual também sou muito grata. Depois descobri que esta luta vem de muitos anos. Pergunto-me por que será que essa informação não foi acessível antes. Outra pergunta: todos os nossos têm esse acesso tão fundamental?

2.6 Não sou um objeto

Ao assistir a uma série produzida pela Rede Globo intitulada "Homens?" e após muitas conversas com meu companheiro, ficou mais evidente para mim como as mulheres são objetificadas. Na série, o personagem principal conversa com seu pênis, aliás, seu pênis tem vida própria.

Percebi há certo tempo que alguns homens entendem seu pênis como um órgão articulador de sentido de sua vida. Para eles, todas as suas ações ou pelo menos quase todas elas são pautadas em utilizar o pênis e sentir prazer.

Para muitos, o único objetivo de seus relacionamentos é utilizar seu órgão reprodutor, onde corpos de mulheres são apenas vasos, grandes depósitos de espermatozoides. Essa percepção de que muitos homens são assim não vem de hoje, mas, talvez hoje, percebi o quanto isso tem me afetado.

Desde do meu primeiro beijo, sinto que querem me colocar nesse local de objeto sexual.

Minha criação essencialmente machista não permitia que eu me comportasse como os homens. Percebo hoje que essa educação machista, de certa forma, me "protegeu".

Meu pai, conhecedor profundo das dinâmicas sociais machistas, sabia o que iria enfrentar com duas filhas e sempre ouvia: "*Mulherão, hein! Essas aí vão dar trabalho*", afinal em sua juventude as mulheres eram dividas entre aquelas para casar e aquelas para somente fazer sexo.

Com isso, ele e minha mãe tinham a grande missão de proteger suas filhas desses homens que só querem sexo e que vão te engravidar e te deixar com um bebê. Com essa dinâmica, nossa adolescência foi cheia de brigas porque não havia conversa sobre relacionamentos e sobre a nossa sexualidade.

Naquela época tudo era tabu e, diferente da forma como os meninos eram criados, as meninas tinham seus corpos, comportamentos e roupas controlados. Não era importante que nós mulheres conhecêssemos nossos corpos, tampouco nossa sexualidade. Assim, a proibição de se fazer e falar de sexo talvez tenha sido o nosso principal método contraceptivo. Foi perturbador viver isso.

Agradeço muito à escola pelas aulas de ciências, que algumas vezes abordavam questões de educação sexual; foi em trabalhos dessa disciplina que aprendi alguns métodos contraceptivos. Na escola era possível conversar um pouco mais abertamente sobre sexo.

É importante destacar que as meninas de minha geração foram moldadas para serem românticas. Tínhamos que estudar muito, pois "não podíamos ser empregadas de nossos maridos" – assim dizia meu pai! Mas sim, precisávamos ter maridos. Um marido seria muito mais importante do que ser professora, engenheira, gerente de banco, empresária, arquiteta, enfermeira ou até mesmo ter um pós-doutorado.

Em minha geração, a mulher não teria importância se chegasse aos trinta e cinco anos sem um marido, afinal as realizações profissionais ou pessoais não importavam. Não haveria sucesso pleno sem um marido.

Naquela sociedade, não era muito discutida a ideia de liberdade sexual, nem do prazer que a mulher tem o direito de sentir. Falava-se muito de orgasmo e ponto G, porém não havia muito conhecimento sobre isso.

Até hoje, sexualidade é um assunto difícil para mim, mas, aos poucos, venho me libertando. Minha primeira libertação foi após uma profunda crise em meu casamento; foi quando percebi que a tinha e podia falar. Acho que me libertei com o apoio e o acesso às campanhas de grupos feministas e ajuda da minha psicóloga.

Fiquei profundamente atingida com a série "Homens?" porque percebi o quanto tentaram me colocar como objeto em quase todos os meus relacionamentos e também o quanto minha educação sentimental e sexual falhou. Em todos os relacionamentos que tive, sempre procurei ter um namorado, me apaixonar; amava comédias românticas, adorava histórias de amor. Sinto que as mulheres de minha geração foram criadas para serem profissionais e esposas.

Sempre tivemos que ser esposas – a missão de conseguir um namorado e consequentemente um marido foi uma construção social imposta às mulheres de minha geração.

Me relacionava com os homens pensando em estabelecer relacionamentos e conexões. Mas a realidade me dizia: "você é apenas um corpo negro, menina: bonita e talvez passista de escola de samba (apesar de nunca ter aprendido a sambar), não quero você para namorar, quero seu corpo da boca para baixo, não quero seu cérebro e muito menos seu coração."

Nepomuceno, no capítulo mulheres negras: protagonismo ignorado trata desse fato:

> Se nas primeiras décadas do século XX era bastante difundido o dito 'branca para casar, mulata para f..., negra para trabalhar' hoje, mesmo com todas as mudanças culturais, mulheres afrodescendentes, principalmente as mestiças ou 'mulatas', continuam a ser alvo dos estereótipos de as mais sensuais e libidinosas entre as mulheres, perpetuado, principalmente, através da mídia, particularmente a televisão. Esta herdou (e reproduziu até muito recentemente) dos romances e folhetins do período escravista personagens negras que obedecem a certo padrão de comportamento: ora humilde e resignada, ora infantilizada, ora irresponsável ou má, ora imoral ou sedutora.[7]

Sinto que minha educação não me preparou para esse contexto que a sociedade me apresentou. Convivia com pouquíssimas pessoas negras, assim me relacionei com raríssimos meninos negros. Aos poucos você percebe que não é o padrão de menina bonita da escola, assim, na adolescência, você acaba não sendo uma opção.

Depois, na faculdade, você até pode ser olhada, mas imagina namorar uma menina negra! O imaginário social coloca que elas não são para namorar e sim para sanar fetiches sexuais. Já pegou uma neguinha? Uma Globeleza? Importante destacar o seguinte texto de autoria de Djamila Ribeiro e Stephani Ribeiro:

> Desde o período colonial, mulheres negras são estereotipadas como sendo "quentes", naturalmente sensuais, sedutoras de homens.

---

[7] NEPOMUCENO, Bebel. Mulheres negras: Protagonismo Ignorado. PINSKY, Carla Bassanezi; PEDRO, Joana Maria. *Nova história das mulheres no Brasil.* Editora Contexto, 2012

> Essas classificações, vistas a partir do olhar do colonizador, romantizam o fato de que essas mulheres estavam na condição de escravas e, portanto, eram estupradas e violentadas, ou seja, sua vontade não existia perante seus "senhores".
>
> É necessário entender o porquê de se criticar a Globeleza. Não é pela nudez em si, tampouco por quem desempenha esse papel. Não temos problema algum com a sensualidade, o problema é somente nos confinar a esses lugares negando nossa humanidade, multiplicidade e complexidade. Quando reduzimos seres humanos somente a determinados papéis e lugares, se está retirando nossa humanidade e nos transformando em objetos.[8]

Nunca aceitei estar no lugar que nossa sociedade nos coloca. Hoje tenho mais consciência do motivo de quererem colocar as mulheres negras nessa posição, e acredito que uma das ações para não estarmos nesse lugar é a liberdade. É preciso libertar as mentes de homens e mulheres para nunca sermos reduzidas a objeto.

2.7 Quando os príncipes matam suas princesas

De todas as histórias relatadas, a mais difícil de escrever é esta.

Na escola, quando finalmente consegui fazer amizades, tive a mais amiga das amigas: Flávia!

Ela era incrível, uma pessoa calma, centrada, tudo o que eu nunca fui. Lembro-me que a única vez em que brigamos foi quando a belisquei. Flavia odiava beliscões.

Continuamos amigas quando a escola acabou, mesmo depois que mudei de cidade. Fui madrinha de seu casamento, lembro-me bem de seu noivo Carlos chorando na porta da igreja e chorando muito quando ela subiu no altar. Carlos era uma pessoa muito tranquila e trabalhadora; fez

---

[8] RIBEIRO, Djamila. RIBEIRO, Stephani. "Não queremos mais protagonizar o imaginário de quem busca turismo sexual". *Revista AzMina*. Disponível em https://azmina.com.br/colunas/nao-queremos-mais-protagonizar-o-imaginario-de-quem-busca-turismo-sexual/. Acesso em 14.08.2020.

o projeto e construiu a casa deles. Era o marido que Flávia havia pedido a Deus, até porque – lembra? – nossa criação era pautada em ser profissional, esposa e mãe.

Quando casei, Flávia e Carlos também foram meus padrinhos de casamento. Depois, tiveram uma linda menina, Larissa!

Flávia era uma pessoa tão tranquila que costumava dizer que sequer sentiu dor em seu parto natural. Ela sofreu muito por Larissa ter tido alergia do leite e não querer mamar em seus seios.

Carlos era um pai muito orgulhoso e cuidadoso, sempre cuidava de Larissa. Achei muito bonito quando Larissa começou a andar e era ele quem corria atrás dela, o todo tempo.

Quando tive minha filha, Flávia era minha referência de vida, pois foi minha primeira amiga a ser mãe, então lhe perguntava muitas coisas sobre maternidade. Inclusive, Flávia foi quem organizou todas as fraldas que ganhei no meu chá de bebê.

Para mim, ela tinha uma vida muito feliz ao lado de seu companheiro; sempre estavam progredindo financeiramente, comprando terrenos, sonhando em construir casas. Mas, com o passar dos anos, Flávia parou de se comunicar comigo; eu mandava mensagens e ela sempre demorava para responder; quando o fazia, relatava que estava sem celular ou que seu *tablet* havia quebrado.

Com esse distanciamento, por dois anos parei de insistir em nos vermos; nos encontrávamos apenas quando a turma inteira da escola se reunia. Sentia muito sua falta e percebia que ela estava um pouco mais triste.

Em um desses encontros com todas as nossas amigas da escola, ela relatou que não queria mais ter outro filho e que estava muito cansada com o trabalho e toda a jornada de ser mãe. Quando nos despedimos naquele dia, Flávia me disse que me amava!

Em uma manhã do mês de abril, minha outra grande amiga me ligou às 6:00 da manhã dizendo que Carlos havia dado cinco tiros em Flávia e se matou em seguida. Flávia queria se separar e ele não aceitou.

Minha dificuldade não foi compreender que ela havia morrido, mas que Carlos, uma pessoa tão doce, tranquila e amável, era um assassino cruel.

Depois descobri que o afastamento de minha amiga era porque ele era extremamente ciumento e não queria que ela falasse mais com sua família e nem suas amigas. Ela chegou a ficar sem comunicação porque ele havia quebrado o celular e o *tablet* dela. Flávia sofria em segredo, tinha medo, havia sido ameaçada antes e alguém disse que ouviu Carlos disparar sua pistola no quintal.

Penso: Flávia, e se não precisássemos ter casamentos perfeitos? E se nem precisássemos de casamentos? Se tivéssemos conversado sobre machismo e violência psicológica e física contra mulher, será que você estaria viva?

Se eu tivesse falado que descobri que também não vivia um conto de fadas, você se abriria sobre o que estava passando e não sofreria calada?

Depois que você foi embora, descobri o termo feminicídio que, segundo o mapa da violência da ONU (2015), é o assassinato de uma mulher pela condição de ser mulher, e descobri que, assim como a você, de acordo com Velasco[9] aconteceram mais 4.473 homicídios dolosos em 2017, no mesmo ano que você foi assassinada, um aumento de 6,5% em relação a 2016. Isso significa que uma mulher é assassinada a cada duas horas no Brasil. Falta de padronização e de registros atrapalham monitoramento de feminicídios no país.

Flávia, descobri também que, segundo o relatório da Organização Mundial da Saúde:

Uma mulher é assassinada a cada duas horas no Brasil, taxa de 4,3 mortes para cada grupo de 100 mil pessoas do sexo feminino. Se

---

[9] VELASCO, Clara; CAESAR, Gabriela; REIS, Thiago. *Cresce o n. de mulheres vítimas de homicídio no Brasil; dados de feminicídio são subnotificados*. Disponível em HYPERLINK "https://g1.globo.com/monitor-da-violencia/noticia/cresce-n-de-mulheres-vitimas-de-homicidio-no-brasil-dados-de-feminicidio-sao-subnotificados.ghtml.%20Acesso%20em%2013.08.2020" https://g1.globo.com/monitor-da-violencia/noticia/cresce-n-de-mulheres-vitimas-de-homicidio-no-brasil-dados-de-feminicidio-sao-subnotificados.ghtml. Acesso em 13.08.2020.

considerarmos o último relatório da OMS, disponível em Velasco[10] (2018) o Brasil ocuparia a 7ª posição entre as nações mais violentas para as mulheres de um total de 83 países.

Flávia, penso que aprendi muito com sua morte. Aprendi que ninguém é de ninguém e que ninguém tem posse sobre nossos corpos, não pertencemos a ninguém além de nós mesmas. E que sempre fomos livres, mas a sociedade machista e sexista nos ensina a ficar aprisionadas a conceitos que nos sufocam. Nos machucam, nos matam.

Depois que vivi e descobri tudo isso, Flávia, tenho medo. Tenho medo pela minha irmã, minha filha, minha sobrinha, minha mãe, minha cunhada, minhas amigas e por todas as mulheres deste país que a cada dia estão expostas a essa violência dentro de suas casas e que muitas vezes sofrem caladas. Flávia, tenho muito medo!

[10] VELASCO, Clara; CAESAR, Gabriela; REIS, Thiago. *Cresce o nº de mulheres vítimas de homicídio no Brasil; dados de feminicídio são subnotificados*. Disponível em HYPERLINK "https://g1.globo.com/monitor-da-violencia/noticia/cresce-n-de-mulheres-vitimas-de-homicidio-no-brasil-dados-de-feminicidio-sao-subnotificados.ghtml.%20Acesso%20em%2013.08.2020" https://g1.globo.com/monitor-da-violencia/noticia/cresce-n-de-mulheres-vitimas-de-homicidio-no-brasil-dados-de-feminicidio-sao-subnotificados.ghtml. Acesso em 13.08.2020.

CAPÍTULO 3

NEGRA MÃE: DUAS VISÕES DA MATERNIDADE

Os conflitos, dúvidas e medos são esperados e inevitáveis para qualquer mulher que pensa na maternidade. São muitas mudanças. É uma ruptura de fase, um novo ciclo. Para nós, negras, essa experiência é acrescida de outras questões. A principal é: o que este mundo fará com meus filhos?

Davis cita a história de uma mulher negra que havia sido escravizada, fugido e que assassinou sua filha ao ser capturada:

> Pode-se compreender melhor agora uma pessoa como Margaret Garner, escrava fugitiva que, quando capturada perto de Cincinnati, matou a própria filha e tentou se matar. Ela se comprazia porque a menina estava morta – "assim ela nunca saberá o que uma mulher sofre como escrava" – e implorava para ser julgada por assassinato. "Irei cantando para a forca em vez de voltar para a escravidão.[11]

Essa passagem é tão dura de se pensar. A minha experiência de maternidade conversou de alguma forma com essa história. Ao saber que geraria uma filha em meu ventre, o meu pesar foi incontrolável e inevitável ao pensar nas dores que ela sofreria. Isso porque hoje a situação se mostra menos pior do que a acima narrada.

Quando li esse livro, eu ainda amamentava minha filha. Senti tudo de maneira muito profunda. Foi ainda mais difícil pensar as dores de nossas irmãs que foram escravizadas e que amamentavam:

> Na fazenda a que me refiro, as mulheres que tinham bebês em fase de amamentação sofriam muito quando suas mamas enchiam de leite, enquanto as crianças ficavam em casa. Por isso, elas não conseguiam acompanhar o ritmo dos outros: vi o feitor espancá-las

[11] DAVIS, Angela. *Mulheres, Raça e Classe*. 1ª ed. São Paulo: Boitempo, 2016.

> com chicote de couro cru até que sangue e leite escorressem, misturados, de suas mamas.[12]

3.1 Visão 1

Confesso que eu tinha dúvidas se queria mesmo ser mãe. Depois de certo tempo e após um profundo processo terapêutico, descobri que o motivo tinha relação com o racismo. Não se tratava de uma decisão exclusivamente minha. Fiquei chocada quando descobri minha limitação!

Quando engravidei, fiquei muito receosa. Descobrimos que era menina, e passei por um momento muito difícil. Revivi o capítulo aqui escrito "negra menina" e "negra mulher" e não parava de imaginar as experiências difíceis que a minha querida filha seria obrigada a vivenciar.

Quando ela nasceu, percebi que se parecia muito comigo. Eu queria que ela parecesse com o pai. Sabe o motivo? Eu me achava horrível. E como eu poderia sair espalhando esse horror pelo mundo? Pensar em um segundo filho então? Jamais! Com os sentimentos misturados e fortemente impactada pelos hormônios próprios à fase do puerpério, aceitei a "verdade" que me impuseram. Somente depois de um longo processo terapêutico pude entender muitas coisas. A minha recusa não era para a maternidade e sim para a repetição do meu sofrimento. Demorei trinta e sete anos para entender isso. Precisei construir uma nova base e com amparo psicológico compreender que as nossas crianças terão uma história diferente e que o sofrimento delas na sociedade não é evitável. Minimizável, sim! E lutarei por isso.

Acessando a pesquisa de Oliveira e Abramowicz,[13] que concluiu sobre as relações étnico-raciais, realizada em uma creche em que as crianças negras eram menos pegas no colo e ainda que: "*A questão racial apareceu na relação das professoras com as crianças negras na forma da "exclusão" de certa paparicação que ocorria com determinadas crianças, das quais as negras*

---

[12] DAVIS, Angela. *Mulheres, Raça e Classe.* 1ª ed. São Paulo: Boitempo, 2016.

[13] OLIVEIRA, Fabiana de.; ABRAMOWICZ, Anete. "Infância, raça e 'paparicação'". *Educação em Revista.* UFMG. Belo Horizonte, n. 2, ago. 2010. Disponível em:_https://www.scielo.br/scielo.php?pid=S010246982010000200010&script=sci_arttext&tlng=pt. Acesso em 27.06.2020.

estavam, na maior parte do tempo, 'fora' [...].', ainda nos parece justificável a preocupação, que já foi pânico, que tenho ao imaginar minha filha na escola. Graças a essas coisas que não acontecem por acaso pude postergar a ida da minha filha à escola, fato que me deu tranquilidade até estar preparada. Graças às intervenções de minha mãe, tenho o suporte de uma mulher que muito me ensina e que me mostra como é importante acreditar. Hoje, a amiga de infância da minha mãe e toda sua família é uma importante rede de apoio para nós e eu serei eternamente grata por isso. É mais uma linda rede de famílias negras se apoiando. Essa é a nossa essência. Obrigada, Eliana Porto!

É preciso destacar também algumas outras questões quanto ao nascimento da minha filha e a assistência logo após seu nascimento. Tive a oportunidade de vivenciar um parto respeitoso. Registro o meu agradecimento às pessoas que conheci para isso acontecer e, também, à luta daquelas que militam pelo direito ao conhecimento e à escolha das mulheres. O parto poderia ser apresentado aqui como mais um relato de trauma, mas não foi. Tive condições de acessar uma equipe de profissionais da área da saúde que ressignificam o nascimento. Corajosas, se posicionam. Quando necessário, fecham seus consultórios para ir às ruas protestar. Assim, fui poupada da violência obstétrica, tão comum em nosso país. Situação que, infelizmente, não é realidade para todas, especialmente para as mulheres negras.

Precisamos seguir em frente e acreditar, mas fácil não é.

3.2 Visão 2

Decidir ser mãe não foi fácil. Minha filha nasceu e a minha preocupação para que ela seja forte e consiga sobreviver em uma sociedade tão racista e machista é imensa.

Aos que romantizam a maternidade, a minha foi longe de ser romântica. Foi dura, dolorida e doce quando vi minha filha pela primeira vez.

Minha gestação foi de muito medo de a qualquer momento perder minha filha, muitas dores e repouso absoluto no fim da gestação. No lado profissional foi muito duro, pois apesar de ser funcionária pública tive problemas, pois a função que estava ocupando na época, não permitia que tirássemos licenças de muitos dias como a gestante. Por ser mãe, tive que sair de uma função que amava trabalhar.

Depois que minha filha nasceu, dividi a amamentação e as noites não dormidas com um processo judicial, quando ela tinha dois meses foi chamada em um concurso público que eu havia passado dois anos antes. O órgão público queria que eu assumisse o cargo, minha filha tinha apenas dois meses de vida e eu estava amamentando. Foi um momento muito difícil, pois uma mulher no puerpério não combina com processos judiciais.

Consegui a licença maternidade proporcional e pude amamentar e cuidar de minha filha em paz, mas no mesmo dia em que assumi esse cargo havia outra mulher na mesma situação que eu. Será que ela teve a mesma força de procurar seus direitos naquele momento?

Tive força e apoio de meu pai advogado e de minha família, mas e se não tivesse esse apoio? Como seria?

Tudo isso aconteceu porque no Brasil a mulher que engravida geralmente perde seu emprego se está na iniciativa privada ou sua função quando funcionária pública, foi assim comigo e com algumas outras mulheres que conheço.

De acordo com a pesquisa da FGV:[14]

> Após 24 meses, quase metade das mulheres que tiram licença-maternidade está fora do mercado de trabalho, um padrão que se perpetua inclusive 47 meses após a licença. A maior parte das saídas do mercado de trabalho se dá sem justa causa e por iniciativa do empregador. No entanto, os efeitos são bastante heterogêneos e dependem da educação da mãe: trabalhadoras com maior escolaridade apresentam queda de emprego de 35% 12 meses após

[14] MACHADO, Cecília. *The Labor Market Consequences of Maternity Leave Policies: Evidence from Brazil*. Disponível em: https://portal.fgv.br/think-tank/mulheres-perdem-trabalho-apos-terem-filhos. Acesso em 01.07.2020.

> o início da licença, enquanto a queda é de 51% para as mulheres com nível educacional mais baixo.

É triste pensar que nós mulheres quando pensamos em gerar uma vida e ficamos fragilizadas, somos dispensadas de nossos postos de trabalho, simplesmente porque a visão das gestantes para empresas é que não servimos mais! Onde está nosso direito ao trabalho e a exercer nossa maternidade dignamente?

O interessante é pensar que para o homem que decide ter filhos acontece o inverso, homens são promovidos e são mais confiáveis quando tem filhos. De acordo Mota[15] em reportagem da BBC Brasil "a paternidade vem geralmente acompanhada por um prêmio salarial, enquanto a maternidade desacelera a trajetória de crescimento da remuneração das mulheres".

Assim a mulher, além de todas as questões psicológicas e físicas que sofre na maternidade, é atravessada pela questão profissional.

Além disso, [illegible]itas mulheres não têm apoio de seus companheiros na missão de serem [illegible] pude contar com meu companheiro que tomou para si a resp[illegible] dividir as tarefas de cuidar de nossa filha e ser pai. Mas qu[illegible] esse apoio? Por que homens se sentem no direit[illegible]n" ou não suas companheiras a criar os bebês?

[illegible] transformou minha vida em todos os aspectos e [illegible]a que fiz. Principalmente quando ouço os questio[illegible] minha filha faz! Um dia quando ela tinha cinco anos, [illegible]ou o que eu queria ser quando crescesse quando eu era [illegible] respondi que meu sonho quando criança era ser pilota de a[illegible] da força aérea, mas comentei que no Brasil mulheres de minha geração não podiam pilotar aviões. Somente no ano de 2003 a força área admitiu mulheres pilotas, foi o ano que eu havia ingressado na faculdade.

---

[15] MOTA, Camilla. *Por que ter filhos prejudica mulheres e favorece pais no mercado de trabalho.* Disponível em: https://www.bbc.com/portuguese/brasil-40940621. Acesso em 30.06.2020.

Ela respondeu inconformada: — *Como não? Como uma mulher não pode ser o que ela quiser?*

Parece tão óbvio que ela pode ser o que quiser e que ninguém pode diminui-la. Isso me deixa muito feliz. Ah! Como isso me inspira e me dá esperanças de que para ela será diferente. Não será fácil, mas melhor, com mais liberdade! Ver isso e viver com ela mostra-me como vale a pena ser mãe!

Sinto-me na obrigação de estar sempre alerta para perceber as mensagens subliminares que ela transmite sobre o que está vivenciando e sentindo, seja na escola ou em quaisquer outros espaços. O lado bom é perceber que essa geração é diferente. Parece que os ensinamentos estão funcionando. Desfruto de uma alegria sem fim com várias colocações dela a respeito do seu lugar no mundo.

3.3 A maternidade – criando meninas negras e não negras meninas

Uma das providências mais importantes que a maternidade me trouxe foi mudar radicalmente meu cabelo. Parei de alisá-lo como única opção de beleza. Eu precisava mostrar para minha filha e sobrinha, por meio de exemplo, que seus cabelos têm beleza. Foi um processo dolorido conviver, na fase da gravidez e amamentação, com um cabelo que eu nunca tinha visto na vida, além de todas as outras demandas.

Antes dessa decisão, minha sobrinha olhava para mim e questionava sua mãe por que ela não poderia também ter um cabelo alisado. Trata-se de uma questão muito importante para a formação da autoestima.

Esta é uma questão relevante para as mães não negras?

Sinto-me aqui iniciando uma nova batalha. A escrita-desabafo faz parte dessa luta pela educação das nossas meninas negras. Cabe a nós prover o acesso ao conhecimento de suas histórias. Para isso, propus-me a iniciar um novo ciclo de estudos. Quero acessar outros conhecimentos para poder realmente embasar a educação da minha filha.

Sinto esperança ao ver a quantidade de bonecas dela. Bonecas que a representam. Eu não tive sequer uma. Ela tem várias! É tão importante se sentir parte, se enxergar e ter referências. Sinto-me feliz também ao vê-la brincando de ser médica, imitando uma pessoa incrível que conheci, uma mulher que sempre me emociona: Dra Eliziene Marcolino. No dia que a conheci, caí em prantos ao saber sua trajetória. Ficamos amigas. Virei sua paciente. Minha família também. Destemida, ajudou a salvar a vida do meu pai e todos nós temos uma eterna gratidão por ela.

O dia que ela mais me comoveu foi quando atendeu a minha avó, que também é sua paciente. Viajou duzentos e trinta quilômetros para isso, considerando as restrições de mobilidade existentes. Era tanto respeito, atenção, carinho e história naquela cena que mais uma vez me emocionei. Lamentei pela minha avó não gozar mais de consciência plena para entender o que estava acontecendo ali. Nossa matriarca, que acreditou tanto nas falácias colonizadoras, ficaria feliz ao ver aquela cena de representatividade.

Infelizmente, essa minha amiga é a única pessoa negra que conheço que estudou medicina. Eu só a conheci com mais de trinta anos de idade. Minha avó com mais de oitenta e a minha filha com dois anos. Por que ela tem que ser a única? Por que tem que ser raridade? Não consigo imaginar as dificuldades que ela deve passar em seu dia a dia de trabalho.

A verdade é que se quisermos ter paz na sociedade, precisamos ter justiça. Para todas as pessoas. Quero pensar no futuro de esperança, de políticas sérias que mudam vidas. Não queremos ser exceção, com histórias sempre ligadas a situações limítrofes, de sacrifícios e que dispendem uma energia enorme. Queremos nossos direitos garantidos.

Espero que elas, nossas meninas, tenham uma condição diferente. Que possam acessar conteúdos, leituras e perspectivas que jamais foram disponíveis a nós em nossa infância e adolescência. Elas têm muitos bons exemplos para se inspirar. Construiremos novos tempos! Contem conosco!

3.4 O encontro da minha vida e a parceria para o fortalecimento na criação da nossa filha

Quando te encontrei, eu sabia que era você. Sabia porque conseguimos formar uma parceria importante. Nossos olhos brilhavam e os nossos projetos individuais ganhavam força quando os pensávamos em conjunto. Finalmente achei acolhimento da maneira que eu tanto busquei. Encontrei meu companheiro. Fruto de um relacionamento interracial, ele vivencia as questões relacionadas ao que chamam de colorismo, e discutimos muito a respeito.

Conviver comigo trouxe a ele outra visão da experiência de ser negro no Brasil. Ele, que até então nunca havia percebido com tanta intensidade as questões raciais, agora vive em família a sutileza e o triste refinamento do racismo brasileiro.

É muito difícil ouvi-lo dizer que foi tratado diferente porque estava com uma criança negra. Até então, essas questões não lhe eram tão perceptíveis. Perceber que nossa filha foi discriminada é terrível.

Às vezes, comentamos sobre essas situações. Algumas pessoas nos indagam se não seria apenas uma percepção nossa. Não, não é. É racismo mesmo. Aprendemos a identificar. No olhar, em pequenos gestos. Temos muitos anos de experiência nisso.

Aqui ressalto a importância de nos fortalecermos para resistir nessa luta.

CAPÍTULO 4

O BRASIL MOSTROU SUA CARA, QUE NUNCA ESTEVE ESCONDIDA

4.1 O dia 14.03.2018

Na manhã seguinte, em um ônibus qualquer a caminho da Avenida Paulista, distraindo-me com as redes sociais no celular, deparei-me com a chocante e revoltosa notícia. Aqueles tiros foram em mim, para mim, para nós. Não! Soava em meus ouvidos: "Negras, vocês não podem mesmo!". "Mantenham-se onde estavam". "Se ousarem, olhem o que faremos". Foi na minha alma. Afinal, eu também ousei sair da posição que haviam determinado para mim. O ímpeto imediato do choro não pôde ser contido. Choro compulsivo e inconsolável. Todos os dias sentimos de diversas formas as dores de ocupar espaços que "não nos pertencem". São "alfinetadas" diárias que vamos resistindo, afinal resistir sempre teve que ser a nossa palavra.

Não acompanhava tão de perto as ações dela. Não mesmo. Mas me sinto no direito de incorporar o luto de sua perda. Doeu, dói e continua doendo. Uma espécie de pânico tomou conta do meu ser. Farão isso comigo também? O cenário político do país, tão triste, corrobora com tudo isso. Suportei ir trabalhar naquele dia. Eu estava enlutada. Ah! Mas no fim do dia estava eu lá em frente ao Museu de Arte de São Paulo – MASP, tradicional ponto de protestos, indignada, pedindo respostas, pedindo providências. Gritando de dor. Foi terapêutico. Meu coração foi um pouco aliviado. E a pergunta sem resposta até hoje. Por que não podemos estar lá? Por quê?

4.2 As eleições de 2018

Nas eleições, eu tinha um familiar internado no hospital, mas precisei resistir e ir gritar nas ruas pelo meu, nosso, direito de existir.

E no final, dentro de mim, choro. Na vizinhança, fogos. Sem mais.

CAPÍTULO 5

REFERÊNCIAS BIBLIOGRÁFICAS DOS SENTIMENTOS

Este capítulo é uma reverência aos nossos. Saudamos àquelas pessoas que pavimentaram o nosso caminho. Certamente nossas palavras neste ensaio-desabafo-denúncia-crítica-social são carregadas de uma herança que a cultura africana chama de ancestralidade. E aqui precisamos saudar aos que vieram antes.

Se estabelecermos a comparação com uma pesquisa acadêmica, os nossos ancestrais são para nós uma referência bibliográfica dos nossos sentimentos. Assim como na pesquisa, existe a obrigatoriedade de citá-los. Um a um. Afinal, somos uma parte importante da resistência que eles ofereceram ao mundo. Somos símbolo. Juntas e resistindo somos mais. Somos esperança.

A infância proporcionou-nos o convívio com diferentes pessoas. Nosso pai tinha um trabalho que o transferia para os mais diversos lugares com missão relacionada aos tiros de guerra, fato que nos aproximava das famílias dos jovens que estavam alistados e, também, da administração local. Na infância, frequentávamos, igualmente, as residências de pessoas muito vulneráveis socialmente e as de pessoas com muitas posses. Esse fato propiciou-nos uma abertura de olhar para o mundo. Fomos educados sempre com o olhar da humildade e com consciência de onde viemos e da luta dos que nos antecederam. Tivemos uma infância e adolescência simples e com muitas experiências. A oportunidade de ter nascido de uma mulher incrível e de um homem, digamos que diferente, nos propiciou força. Somente por essa base conseguimos, até hoje, nos manter em pé. Assim como todos, não são pessoas perfeitas. Um capítulo é pouco para falarmos da história de pessoas que fizeram tanta diferença. Também não é completo falar de uma vida inteira em poucas linhas e de um só ângulo. Acaba sendo muito simplista – é inevitável –, mas não deixa de ser profundo.

5.1 Nossa mãe

Pessoa responsável pela ousadia que habita em nós. O impulso que nos move a escrever vem dela. Ela nos mostra, todos os dias, que é necessário se articular e não se limitar. Começou a trabalhar ainda criança. Percebendo logo cedo que seriam poucos os caminhos possíveis, tornou-se costureira, ofício que deu a ela um pouco mais de possibilidades. Trilhou belos caminhos. Cursou o magistério e formou-se professora. Segurou todas as barras possíveis e é o alicerce da família. Lutou para que todos nós pudéssemos cursar a universidade. Por nós, providenciou recursos que não tinha para si. Todos os diplomas da família, incluindo o de seu esposo, nosso pai, de uma maneira ou de outra devem ser divididos com ela.

Nos ombros dela você pode se apoiar em todas as circunstâncias. Todas mesmo. E isso vale para várias pessoas. E por isso temos que dividi-la e conviver com pessoas estranhas a chamando de mãe. Ela consegue se ligar ao melhor de cada um e fazer belas conexões.

Outro ponto de destaque é que a nossa querida mãe nos aproxima da nossa verdade. Por meio da sua fé, desde crianças acessamos a nossa espiritualidade e assim conseguimos sentir que existe algo muito além do que conseguimos enxergar. Esta força nos move a muitas coisas extraordinárias que seriam impensadas. Esta força também nos sustenta, nos ampara e nos permite continuar caminhando.

Mãe, quantos dos seus sonhos foram postergados? Em que medida a maternidade te restringiu? Quão difícil foi enfrentar a vida com tantas mudanças? E a sua carreira? Quão machucado está seu ombro? Quantas vezes você achou que não conseguiria? Quem te consolou? Quem te apoiou? Quão difícil é ser forte? Seu exemplo prova todos os dias que suas habilidades de negociação e coragem possibilitaram-nos enfrentar nosso mundo todinho.

5.2 Nosso pai

Pai querido, quais são as suas dores?

Estava aqui refletindo que conhecemos há tempos as histórias marcantes e difíceis de infância narradas pelas suas irmãs, mas e a sua visão de tudo isso? Algumas, só pude conhecer há pouco tempo e querendo ou não essas vivências nos moldam de alguma forma.

Lembro-me quando dizia que na infância ia descalço do sítio à cidade para não estragar os sapatos, que precisavam estar impecáveis. Eram cinco quilômetros andando na geada. Até que ponto o gelo te marcou? Ele te congelou em algum momento? Até que ponto tudo isso te levou a ter que ser sempre resistente? Até que ponto essas histórias te limitaram a desfrutar da leveza?

Tomo a liberdade de contar da minha perspectiva. Eu vejo um homem obstinado. Somente há poucos anos pude ver também o que há de menino em ti. Agarrou-se à oportunidade de se tornar padre para não ser obrigado a amargar às possibilidades que o destino lhe trazia. Tal oportunidade só existiu porque se destacou na escola, afinal, naquela época, para poder continuar os estudos além do que é conhecido hoje como ensino fundamental, era necessário ser aprovado em um difícil exame. E conseguiu. Conseguiu driblar as limitações da sociedade que fazia sua mãe acreditar que não era absolutamente prioritário para um menino negro pobre estudar. Mas se era para ser padre, tudo bem! Afinal, para uma família extremamente católica, seria uma oportunidade muito relevante.

Fico imaginando o que passaria na cabeça de um menino que saiu do conforto afetivo do seu lar aos treze anos de idade e foi, sozinho, enfrentar o mundo. A história que me marcava era esta sua fala: "*eu via como tratavam o meu pai e não queria aquilo para mim*". Ele se referia à maneira como um homem negro ou negro homem era tratado na década de 1950. Nos dias atuais, nós negros sabemos exatamente desse "tratamento". Como seria em uma cidade pequena do sul do país naquela época?

Saiu da educação seminarista aos dezoito anos para servir ao exército (outra oportunidade a que se agarrou). Intelectualizado, teria condições de acessar a academia militar, mas sequer sabia que isso existia. Como faz falta não ter referências! Tornou-se soldado, cabo, sargento, tenente. Entregou sua vida e saúde ao trabalho. Foram tantas as suas lutas. Suas, não. Nossas. Contamos algumas delas aqui, mas sempre seremos incompletas. Com o espírito de fazer justiça ingressou na Faculdade de Direito no início da década de 1980, já casado e com três filhos pequenos. Concluiu seu curso duramente. Aliou-se à melhor das companheiras para escrever uma história. Só pôde concluí-la com sucesso porque também tinha com ele uma grande mulher. Quando crescemos, enxergamos tudo diferente.

O exército brasileiro foi a opção para um homem que teria possibilidades outras, se não fosse sua limitação de ser pobre e negro em um país como o Brasil.

Nosso querido Luiz Gonzaga já dizia: o "Exército Brasileiro é o colégio do pobre". Pois em 1970 não tínhamos nenhuma política pública que ajudasse o pobre e o negro a ingressar em uma universidade. Meu pai sonhou em fazer faculdade, mas precisava ter um emprego para se sustentar em São Paulo e não haviam muitos cursos noturnos para trabalhar de dia e estudar à noite.

Minha mãe disse que quase não víamos meu pai quando éramos bebês, porque ele era da infantaria e vivia em acampamentos. Quando nasci, em 1984, meu pai estava com uma tropa acampando. Por isso, chegou ao hospital cheio de barro e não pôde assistir meu parto.

Sua vida de militar foi de muito sofrimento, desgaste físico e emocional que acarretaram em doenças que acabaram com sua saúde física e psicológica. Ele era atleta, pulava de carro de combate e isso acarretou em uma lesão na perna que o obrigou, aos quarenta anos, a colocar prótese em seus dois fêmures.

Aqui falamos das delimitações impostas ao homem negro e que moldam sua educação. Todas as restrições impostas moldaram também sua família, que nem sempre teve escolha. A necessidade de se apresentar como fortaleza diante de cenários difíceis.

5.3 Nossas avós

É terapêutico entender um pouco dos "fenômenos" impostos. Eu me coloco sempre no lugar das mulheres que vieram antes de mim e penso sobre o quão difícil deve ter sido. Gostaria que elas pudessem nos ver e que pudéssemos refletir juntas sobre algumas questões.

Uma de nossas avós perdeu a mãe muito cedo e este fato tornou-se uma grande dificuldade. Aliou-se à irmã mais velha, que ocupou um espaço emocional relevante em sua vida. Viveu uma vida para o trabalho como empregada doméstica. Trabalhava mais de doze horas por dia, frequentemente sem dias de pausa. Lembro-me, quando pequena, de vê-la sair cedo e voltar tarde. Ela contava que trabalhava na casa de uma patroa e aos fins de semana tinha que fazer faxina na casa da irmã dessa patroa, sem qualquer remuneração adicional. Cozinhava como ninguém e orgulhava-se disso. O cheiro da sua comida é lembrado até hoje com carinho. Teve uma vida que possibilitou poucas oportunidades de exercer sua humanidade, mas ela nunca desistiu. Hoje eu fico me questionando sobre o que ela sentia. Penso que talvez se sentisse carente. O que será ela que ela pensava? Quais eram seus medos, vó? Pouco tempo depois de se aposentar, ficou doente e está assim até hoje. Eu sinto tanto por ela. Gostaria muito que pudesse ter vivido mais coisas belas. Eu acho que para ela uma das grandes alegrias foi ver que seu sacrifício não foi em vão. E não foi mesmo, vó! Quando penso em desistir, penso em como ela gostaria de me ver. E então não desisto. Lembro também das coisas que ela teve que aguentar. Não vou desistir nunca, vó! Reverenciamos sua história.

Nossa outra avó viveu dramas diferentes. Convivemos pouco com ela e a sua marca era a amorosidade. Sempre foi muito ligada à mãe, que é lembrada até hoje por ser uma mulher determinada e que se destacou em uma sociedade machista e racista. O que teria feito uma mulher negra, nascida em 1887, falecida em 1964 e que na década 1970 foi homenageada na cidade em que vivia com a condecoração de seu nome dando lugar ao nome da rua em que vivia? Quanta resistência! Sempre penso na diferença que o acolhimento, em especial das mães, faz nas nossas vidas.

De todas essas mulheres e de todas as outras que não convivemos ou conhecemos, herdamos o exemplo da luta.

5.4 Nossas tias

De certo modo, toda mulher negra que consegue se manter viva e sadia mentalmente pode ser considerada muito próspera. Essa condição não foi possível para todas as nossas tias.

Aqui reverenciamos todas elas, em memória e em vida. Às nossas tias que não puderam gozar de saúde mental plena, àquela que faleceu muito cedo e àquela que lutou uma vida inteira, se esforçou para nos brindar na nossa infância com presença, carinho, cuidado e com aquela comidinha gostosa de sabor inesquecível.

Gostaríamos de compartilhar uma história que nos inspirou quando crianças e mais ainda quando adultas. Uma das nossas falecidas tias contava sempre que na escola, quando pequena, havia sofrido insultos racistas por um colega de classe e que na ocasião, como consequência, teria feito o garoto engolir tinta nanquim. Posteriormente, ela se tornou freira. Essa história de infância na escola fala muito sobre ela e sobre sua luta ativa. Passados alguns dias do seu falecimento, a manchete em um jornal da cidade em que ela viveu por muitos anos foi a seguinte: "Pelos negros e pelos pobres". Recebeu diversas homenagens póstumas. A comoção popular no seu funeral era notável.

Nossa tia, nascida na década de 1940, era há tempos uma feminista negra. Ela quebrou padrões da época enquanto freira missionária. Mudou a sociedade em que vivia. Se embrenhava nas comunidades e lutava por todos os oprimidos, em especial pelas mulheres negras.

Ela falava sempre: "nós somos muito capazes e, além de tudo, lindas", com uma voz fina, marcante e entoada. Tia, por qual motivo não pudemos acreditar em você na época? Eu sempre quis saber da onde ela tirava toda aquela força. Guardamos com carinho todas as cartinhas trocadas com ela na infância. Guardo também a anja negra que, segundo ela, eu quis levar para minha casa quando tinha três anos de idade. Na ocasião, ela me disse que só me entregaria a referida escultura no dia da minha formatura. Fiquei sabendo dessa história somente vinte anos depois, no dia da minha colação de grau. Até hoje, quando passo por dificuldades, penso na força dessa mulher e me inspiro por meio da bela escultura que ela, com tanto carinho, me presenteou. Essa escultura deverá ser herdada pela minha sobrinha, pois ela, assim como eu, compartilha do mesmo nome da nossa tia freira. É um ato simbólico para você, minha querida sobrinha. Como é importante termos exemplos para nos inspirar.

Nossa tia tinha um conhecimento que não pudemos acessar completamente. E sentimos muito por isso. Será que ela saberia responder às dúvidas que nos inquietavam na adolescência? E quanto às exclusões? Ela saberia dizer por que éramos "olhadas" de maneira diferente? Talvez teria boas respostas. Poderíamos ter discutido muitos outros assuntos com ela. Talvez ela também quisesse apenas desfrutar dos belos momentos de leveza conosco nas poucas oportunidades de encontro presencial, já que não morávamos em cidades próximas. Você se foi tão cedo, tia!

A certeza de que ela escolheu viver conosco somente a plenitude do amor se confirmou quando acessamos um livro que conta um pouco de sua história, intitulado "Tecendo Memórias, gestando futuro: História das Irmãs Negras e Indígenas Missionárias de Jesus Crucificado". O livro relata as dificuldades existentes para uma mulher negra seguir a vida religiosa na primeira metade do século XX. Naquela época, apenas a instituição que recebeu nossa tia aceitava mulheres negras para a vida religiosa, fato que é notável para o contexto histórico vigente. No entanto, havia criado "classes" para o serviço missionário. Segundo consta em Beozzo et all (2009), as mulheres negras que eram recebidas para a vida religiosa eram incluídas na classe intitulada "oblatas" e a elas era destinado apenas o trabalho interno de limpeza, organização e preparo do alimento para que as irmãs brancas pudessem exercer o trabalho missionário. A vestimenta também era diferenciada, para que ficassem assim evidenciados os papéis a serem ocupados. Segundo o mesmo autor a extinção desta diferença de classes ocorrera em 1965.

Questionei se nossa família sabia disso. Nossa tia não contou essa história a ninguém, nem mesmo para sua querida irmã. Questionei meu pai, que ingressou no seminário para ser padre em época próxima, se ele havia passado por algo do tipo. E ele disse que não. Ele, sendo homem, não passou por nada do tipo. Também refleti sobre a diferença dos acessos entre as mulheres e homens na nossa família. Nosso pai, no final da década de 1980, foi o primeiro da família a concluir a graduação no curso de direito. Anos depois, foi sucedido por mais três homens da família que também se graduaram no curso. A primeira mulher que atingiu esse feito o alcançou mais de trinta anos depois que o primeiro, ocasião em que já tínhamos formado quatro dos nossos nessa profissão.

E aí, mais uma vez, constatamos que para a mulher negra tudo é mais difícil. Nesse contexto faz se necessário citar Carneiro:[16]

> A mulher negra é a síntese de duas opressões, de duas contradições essenciais; a opressão de gênero e a da raça. Isso resulta no tipo mais perverso de confinamento. Se a questão da mulher avança, o racismo vem e barra as negras. Se o racismo é burlado, geralmente quem se beneficia é o homem negro. Ser mulher negra é experimentar essa condição de asfixia social.

Nessa condição de asfixia, as irmãs missionárias negras lutaram por igualdade no ambiente religioso. Uniram-se. Curaram-se. Processaram suas dores de maneira conjunta e conseguiram conquistar seu espaço. Escreveram, de maneira coletiva, um livro que conta essa história. Soubemos disso tudo há bem pouco tempo. Essa história conversa com a nossa. Conversa com nossa necessidade de falar por meio da escrita, do registro, da denúncia.

Fazendo referência ao nome do livro que conta a história das Irmãs Negras e Indígenas, nós nos sentimos gestadas pela força e pelo futuro que vocês vislumbraram para nós.

E quanto à minha tia, nunca me esquecerei das coisas que vivemos uma semana antes do seu falecimento. Ela estava nos visitando em nossa casa e me disse as seguintes palavras: "*Agora você que vai na minha cidade me visitar, pois eu não voltarei aqui*". E entregou-me um livro que continha uma dedicatória com a seguinte inscrição: "*A gente se vê de longe com o coração*". Tia, eu jamais deixarei de te ver e de te sentir.

Tão perto e tão longe. Fiquemos atentas às raras oportunidades. Tia, agora estou atenta.

5.5 Nosso irmão

Um "menino" que muda o mundo e afronta o sistema estabelecido. Podemos assim o definir. Primogênito, quando fez dezoito comemorou

---

[16] CARNEIRO, Sueli. *Escritos de uma vida.* 2ª ed. São Paulo: Editora Jandaíra, 2020.

muito, inspirado nos Racionais MC´s, e gritava feliz "*contrariando as estatísticas, fiz dezoito anos*". Na época, não compreendíamos bem a sua revolta contra esta sociedade escravocrata. Mais tarde, tornou-se historiador, mestre em sociologia e advogado. Leciona em uma escola pública, atua na área dos direitos humanos e faz a diferença na vida de muitos jovens.

Lembramos aqui do medo da nossa mãe ao deixar aquele menino brincando na rua o dia inteiro. Somente depois que nos tornamos mães pudemos entendê-la. Ela insistiu em juntar as economias para ocupá-lo com outra atividade. No caso, a música: o piano, já que tínhamos uma vizinha que ministrava aulas desse instrumento. Mais tarde, em outra cidade, a nova professora de piano enxergou seu potencial e conseguiu uma bolsa de estudos para ele em uma escola particular. O acesso dele àquele mundo mudou as perspectivas da nossa família. Por conta disso, passamos a conhecer os assuntos que eram discutidos pelos jovens de uma escola particular e que jamais eram considerados na escola pública que estudávamos. Ele frequentou apenas um ano naquela escola. E mudou tudo, para ele e para nós.

Por meio dele, descobrimos a existência da escola técnica e gratuita, assunto sequer discutido onde estudávamos. Começamos a vislumbrar outras possibilidades.

O nosso irmão sofreu com a adaptação na escola particular. Ele sempre foi brilhante e lá também era. Na escola particular era tudo diferente. Era como se fosse outro planeta. Lembramos bem o quanto foi difícil para você. Odiávamos o rigor da nossa infância com relação aos estudos. É difícil admitir, especialmente para você que sempre teve duros conflitos de visão com nosso pai, mas ele tinha razão…

5.6 Às nossas psicólogas

Na vida adulta, tivemos a oportunidade de passar pelo processo de psicoterapia. Esse tipo de tratamento não é de fácil acesso para todas as pessoas. Para as pessoas negras, há outra questão: será que a academia forma devidamente os psicólogos para que eles possam tratar do impacto causado pelo racismo nas nossas vidas? O acesso a uma profissional de fato habilitada para lidar com as questões raciais ampliou, de maneira definitiva, o nosso campo de visão.

Entender um pouco das opressões impostas à nossa existência por conta da perspectiva machista e racista da sociedade permite uma libertação. Sendo assim, reverenciamos e referenciamos aqui às profissionais que nos apoiaram nesta caminhada. E também à toda uma rede de pessoas que há muitos anos estão lutando pela saúde mental da população negra.

Como seria se não tivéssemos a oportunidade de acessar uma profissional habilitada para tratar das feridas provocadas pelo racismo?

Segundo o Instituto AMMA Psique e Negritude:[17]

> O racismo, além de violar direitos sociais, prejudica a saúde psíquica dos indivíduos: podendo fazê-los desenvolver sintomas psicossomáticos, inibições, impedimentos (de acesso, de participação), especialmente na experiência de negritude; e/ou desenvolver uma autoimagem distorcida, descolada da própria realidade e racialidade, como ocorre principalmente na experiência de branquitude.
> O racismo atinge a todos e todas, provoca sofrimento psíquico e pede **cura política** e **psíquica.**

O medo da exposição sempre me faz companhia. Acabo fazendo de tudo para não chamar a atenção e passar despercebida. Em ambiente terapêutico discutimos, a partir do olhar profissional que, não por acaso, muitas mulheres negras se sentem assim.

Este ensaio é uma prova de que o trabalho da psicóloga que me assiste funcionou bem e por isso eu a agradeço muito carinhosamente.

Lucineia Marques, obrigada por ser uma excelente profissional, por se preparar, por estudar, questionar e por não se conformar. Obrigada por sentir. Obrigada por buscar o conhecimento que faz sentido para você e por dividi-lo comigo. Obrigada por me ajudar a ir além da terapia.

---

[17] INSTITUTO AMMA PSIQUE. Disponível em: http://www.ammapsique.org.br/quem-somos.html. Acesso em 27.06.2020.

Obrigada por me impulsionar no processo de descolonização da minha mente! Obrigada pela sua coragem. Obrigada por ser inspiração. Tenho certeza que a sua atuação profissional está mudando o mundo.

Considero que, juntas, estamos fazendo a nossa parte dentro do que é possível. E significa muito. É um novo sentido de existência.

Estamos exercendo aqui o nosso direito de falar. Nunca pude imaginar que para falar era preciso ter tanta coragem.

5.7 Enfim...

Uma das mais duras faces do racismo e das injustiças sociais é a de não sabermos o que cada um de nós poderíamos ser se tivéssemos acesso à nossa potencialidade plena. O que essas pessoas marcantes seriam se tivessem todas as oportunidades para se desenvolver e ocupar o mundo? Penso que poderia ter uma avó empresária ou uma tia diplomata. Quem seríamos nós se tivéssemos outras oportunidades? São tantos os talentos exterminados.

De certa maneira, este ensaio faz justiça e homenageia a memória de muitos gigantes esquecidos e limitados à dura realidade da vida, que ficaram para trás na história, mas que fizeram o mais importante: RESISTIRAM; E nós os agradecemos por isso.

Assim, dedicamos este registro às nossas inspirações tangíveis e intangíveis. Todas elas: belas e profundas. Da sabedoria disfarçada em forma de pessoas e energias. Aos saberes africanos que somente adultas, quando as coisas são menos coloridas, pudemos conhecer um pouco mais.

Dedicamos este projeto às nossas meninas, filhas queridas que são a continuação de uma linhagem de mulheres de muita luta. A todas as mulheres que nos antecederam na caminhada para que fosse possível vivermos nossos sonhos. À nossa mãe Miriam, avós, tias, bisavós e tantas outras que se sacrificaram para tornar a vida de quem vinha pela frente mais promissora, tentando fazer o mundo um pouco menos injusto para meninas e meninos negros.

CAPÍTULO 6

CONCLUSÃO

Nossa trajetória, felizmente, não foi moldada somente pelos percalços impostos pelas dolorosas experiências. Construímos laços importantes, vivemos momentos plenos e felizes, sobretudo em família. Os fatos aqui relatados têm o objetivo da reflexão sobre os sofrimentos que não deveriam existir. Mais que isso. Falamos das oportunidades desiguais, dos abalos psicológicos, das opressões, das limitações, do não lugar, das imposições. É um desabafo, mas é também denúncia. De certa forma, a oportunidade de produzir este ensaio nos torna mais leves. É como se algum tipo de justiça tivesse sido feita. Todas as pessoas que atuaram em conformidade com o sistema racista/ machista e que não foram nomeadas neste ensaio estão sendo denunciadas. Não é possível explicar a sensação de libertação. Apenas sentir.

6.1 O que desejamos para as nossas meninas

Desejo do fundo do meu âmago que vocês exerçam seu poder de escolha o mais cedo possível. Que possam ter a consciência real de suas potências e que não se sintam presas a nada, nem a ninguém. Que possam se tornar exemplos a serem seguidos e que sejam educadas como pessoas completas.

Desejo que cresçam em uma sociedade com justiça real. Que tenham o direito de ocupar todos os espaços sem causar espanto. Que possam entrar nas lojas, nos hotéis e nos bancos com tranquilidade. Que vivenciem seus cabelos plenamente e que não esperem de vocês que saibam, apenas, sambar. E que vocês sambem muito, se quiserem! Joguem capoeira. Apropriem-se de suas histórias. Surfem com alegria nas ondas da liberdade que foram preparadas para vocês. Gerem ondas! Sejam felizes!

Que ninguém estranhe suas escolhas profissionais. Que não sejam exceção. Que não sejam as únicas nos espaços. Afinal, a nossa história é de estar junto. Que não sofram de solidão, sozinhas ou acompanhadas. Que saibam o seu lugar e nunca duvidem.

Por fim, desejo que vocês tenham, desde cedo, parceria. Pode ser sua irmã, sua prima, sua amiga ou seu irmão. Alguém para dividir, compartilhar suas dificuldades e alegrias. O mais importante é refletir. Refletir para entender seu lugar no mundo, ter consciência e conhecer os papéis que realmente dão sentido à sua existência. A reflexão com a parceria nos salvou, mesmo sem podermos compreender plenamente tudo que acontecia.

Desejo que os adjetivos sejam usados somente quando necessário e colocados depois dos substantivos, de maneira respeitosa, para que a sua humanidade seja real. Assim você poderá ser somente uma pessoa, e só.

Em especial, desejo à minha filha e à minha sobrinha que se apropriem de suas histórias e que as mulheres que as cercam possam ser importantes apoios.

E que você, filha, possa experienciar a irmandade que vivencio com a sua tia, minha querida irmã. Desejo que você tenha por perto uma pessoa que desperte em você algo parecido com o que ela desperta em mim. Desejo isso para que você saiba como é olhar o mundo com arte e liberdade.

6.2 Esta história não é só nossa

No fim deste ensaio, refletimos: o que a nossa história tem em comum com a história da nossa tia que era freira? A diferença de idade entre nós é de mais de trinta anos e vivenciamos exatamente a mesma situação na escola. A diferença de idade entre mim e minha filha é a mesma. Estaria ela destinada a viver experiências similares a que vivi?

E o que a história da nossa avó tem em comum com a história de tantas outras mulheres negras? E a sua história?

As situações relatadas neste ensaio são apenas uma pequena amostra das dificuldades vivenciadas. O Quadro 1 a seguir apresenta um resumo de situações envolvidas nos relatos.

Quadro 1: Ações racistas/machistas por fase da vida 1

	Situação racista/machista	Fase da vida	Consequências
1	Discriminação na festa junina	Infância	?
2	Pessoas brancas que não permitem que seus filhos brinquem com crianças negras	Infância	?
3	Pessoas que acham que crianças negras são pedintes	Infância	?
4	Estudantes que se recusam a brincar com crianças negras	Infância	?
5	Brancos que acham que negros são ladrões	Adolescência	?
6	Escolas que segregam os alunos	Adolescência	?
7	Agressões físicas e psicológicas na escola	Adolescência	?
8	Colegas de turma que criam ambiente hostil para estudantes negros	Infância/ Adolescência/ Adulta	?
9	Professores que não acreditam no potencial de estudantes negros	Infância/ Adolescência/ Adulta	?
10	Empresas que demitem mulheres e pessoas negras primeiro no evento de uma crise econômica	Adulta	?
11	Bancos que limitam a entrada de pessoas negras	Adulta	?
12	Os homens que desumanizam mulheres negras	Adulta	?
13	Homens que assassinam suas companheiras	Adulta	?
14	Policiais que acreditam que pessoas negras são suspeitas	Adulta	?

CAPÍTULO 6 - CONCLUSÃO

As histórias de agressões nas escolas são comuns a muitas pessoas negras, assim como as experiências no trabalho, nas lojas, bancos, mercados e até nas nossas próprias residências. As agressões são recorrentes.

Assim, quando conversamos com pessoas negras sobre esse assunto, temos a impressão de que compartilhamos as mesmas vivências e é assim que voltamos para o título deste capítulo e à introdução deste livro: "Esta história não é só nossa", e não é porque estamos falando da sociedade brasileira.

Enquanto experiência de ser negra: criança, adolescente, universitária, mulher e trabalhadora, podemos dizer que a luta é diária. Sinto-me como se fosse à guerra, mas não é de vez em quando. É todo dia. É toda hora. Não é possível descuidar. Sem trégua, sem um minuto de paz.

Ribeiro,[18] em seu livro intitulado "Lugar de Fala", coloca de maneira científica as nossas sensações de ir à guerra todos os dias. Ela diz que não podemos escolher sobre qual opressão iremos lutar primeiro. Estamos sempre lutando.

Sentimo-nos muito contempladas pelas falas e produções da filósofa Djamila Ribeiro. Primeiro porque ela tornou acessível conhecimentos que, ao meu ver, são complexos para pessoas que não são acadêmicas. Eu sou da área de exatas, por exemplo, e admito que tenho dificuldades com algumas terminologias, tal como a palavra "dialética". A palavra "epistemologia" é mais fácil de entender no contexto mas, mesmo assim, confesso que nem sempre soa fácil. Outro ponto importante dessa acadêmica que tanto admiramos é a sua capacidade de dar os créditos às estudiosas que mostraram o caminho a ela. E, por fim, o último ponto é a coragem. Não me canso de admirar a sua coragem e aqui posso dizer seguramente que a ousadia que ela demonstra em enfrentar o mundo me inspira profundamente nas pequenas e nas grandes coisas. O mais legal de tudo isso é perceber que ela, por sua vez, se inspira em muitas outras, o que torna belo o ciclo de termos as nossas lindas referências.

---

[18] RIBEIRO, Djamila. *Lugar de Fala*. São Paulo: Sueli Carneiro; Pólen, 2019.

Quais são as consequências de viver uma vida assim? Quais são as consequências, para uma criança, quando ela tem medo de ir à escola? Quais as consequências para as pessoas que vivem há gerações essas violências? Qual é a consequência para uma mãe ver seu filho passar pelas mesmas coisas pelas quais passou? O que seríamos se isso não existisse? Essas histórias nos moldam? Essas perguntas têm uma só resposta? Vocês querem realmente mudar esta sociedade?

Por que somos delimitadas pela palavra negra, que vem antes dos nossos nomes e da nossa existência? Neste ensaio, de maneira provocativa, a palavra negra foi utilizada como substantivo, quando na verdade gostaríamos que pudéssemos utilizá-la apenas como qualquer outro adjetivo. A alteração das classes gramaticais muito nos prejudica.

Reivindicamos aqui o direito à nossa humanidade. Queremos falar da necessidade de ser só uma pessoa com sonhos e ter as condições para vivenciá-los. Sonhamos por um dia vivenciarmos a nossa essência com liberdade. Desejamos que nossas filhas não tenham tantas perguntas. E só.

REFERÊNCIAS BIBLIOGRÁFICAS

ALMEIDA, Silvio. *Racismo estrutural.* Pólen Produção Editorial LTDA, 2019.

BEOZZO, José Oscar; SILVA, Geralda Ferreira; ESPÍRITO SANTO, Maria Fidêncio; COSTA, Maria Raimunda Ribeiro. *Tecendo Memórias, gestando futuro: História das Irmãs Negras e Indígenas Missionárias de Jesus Crucificado-MJC.* 1ª ed. São Paulo: Paulinas, 2009.

CARNEIRO, Sueli. *Escritos de uma vida.* 2ª ed. São Paulo: Editora Jandaíra, 2020.

DAVIS, Angela. *Mulheres, Raça e Classe.* 1ª ed. São Paulo: Boitempo, 2016.

Departamento Intersindical de Estatística e Estudos Socioeconômicos-DIEESE. "Os Negros nos Mercados de Trabalho Metropolitanos". Novembro, 2016. Disponível em https://www.dieese.org.br/analiseped/2016/2016pednegros sintmet.html. Acesso em 13.08.2020.

FENTI, D. "Pelos Negros e pelos pobres". *Dia a Dia,* São José do Rio Preto, 30 de maio de 2010.

GONZAGA, Luiz. *Volta para Curtir.* BMG Brasil. Disponível em: https://www.youtube.com/watch?v=43MmahIsaHA. Acesso em: 20.08. 2020.

LIMA. Flavia. "Escolaridade não equipara renda entre negros e brancos". *Folha de São Paulo,* São Paulo, nov. 2017. Disponível em https://www1.folha.uol.com.br/mercado/2017/11/1935511-instrucao-maior-eleva-fosso-salarial-entre-branco-e-negros.html. Acesso em 13.08.2020.

INSTITUTO AMMA PSIQUE. Disponível em: http://www.ammapsique.org.br/quem-somos.html. Acesso em 27.06.2020.

MACHADO,Cecília. "The Labor Market Consequences of Maternity Leave Policies: Evidence from Brazil". Disponível em: https://portal.fgv.br/think-tank/mulheres-perdem-trabalho-apos-terem-filhos. Acesso em 01.07.2020.

MOTA, Camilla. "Por que ter filhos prejudica mulheres e favorece pais no mercado de trabalho". Disponível em: https://www.bbc.com/portuguese/brasil-40940621. Acesso em 30.06.2020.

NEPOMUCENO, Bebel. Mulheres negras: Protagonismo Ignorado. PINSKY, Carla Bassanezi; PEDRO, Joana Maria. *Nova história das mulheres no Brasil.* Editora Contexto, 2012.

OLIVEIRA, Fabiana de.; ABRAMOWICZ, Anete. "Infância, raça e 'paparicação'". *Educação em Revista.* UFMG. Belo Horizonte, n. 2, ago. 2010. Disponível em: https://www.scielo.br/scielo.php?pid= S010246982010000200010&script=sci_arttext&tlng=pt . Acesso em 27.06.2020.

RIBEIRO, Djamila. *Lugar de Fala.* São Paulo: Sueli Carneiro; Pólen, 2019.

RIBEIRO, Beatriz Caroline; KOMATSU, Bruno Kawaoka; MENEZES-FILHO, Naercio. "Diferenciais Salariais por Raça e Gênero para Formados em Escolas Públicas ou Privadas". INSPER. *Policy Paper,* n. 45. Jul. 2020.

RIBEIRO, Djamila. RIBEIRO, Stephani. "Não queremos mais protagonizar o imaginário de quem busca turismo sexual". *Revista AzMina.* Disponível em https://azmina.com.br/colunas/nao-queremos-mais-protagonizar-o-imaginario-de-quem-busca-turismo-sexual/. Acesso em 14.08.2020.

SANTANA, Moisés. "Diversidade cultural, educação e transculturalismo crítico – um rascunho inicial para discussão". Cadernos de Estudos Sociais – Recife, V. 25, 2010.Disponivel em: https://periodicos.fundaj.gov.br/CAD/article/view/1419.Acesso em 10.04.2020

SANTIAGO, Flávio. "Gritos sem palavras: resistências das crianças pequenininhas negras frente ao racismo". *Educação em Revista.* UFMG, Belo Horizonte, vol. 31, n. 2, p. 129-153, 2015.

SILVA, A.J. "Ser vendido a barão de Campinas era castigo para escravos". 20/11/2015. Disponível em http://g1.globo.com/sp/campinas-regiao/noticia/2015/11/ser-vendido-barao-de-campinas-era-castigo-para-escravos-diz-advogado.html. Acesso em 07.06.2020.

SILVA, Petronilha Beatriz Gonçalves; BARBOSA, Lucia Maria de Assunção (Coord.). *O pensamento negro em educação no Brasil: expressões do movimento negro.* São Carlos: Ed. Da UFSCar, 1997.

SHUJAA, Mwalimu J. (Coord.). *Too Much Schooling, Too Little Education. Trenton,* New Jersey, Africa World Press, 1994.

VELASCO, Clara; CAESAR, Gabriela; REIS, Thiago. "Cresce o n. de mulheres vítimas de homicídio no Brasil; dados de feminicídio são subnotificados". Disponível em https://g1.globo.com/monitor-da-violencia/noticia/cresce-n-de-mulheres-vitimas-de-homicidio-no-brasil-dados-de-feminicidio-sao-subnotificados.ghtml. Acesso em 13.08.2020.

APÊNDICE
REGISTRO DA RESISTÊNCIA: ALGUMAS DAS NOSSAS

À esquerda Rufina, nossa bisavó, e à direita Leonor, nossa avó
Ano aproximado: 1933
Fonte: Arquivo da família

Irmandade preta (da esquerda para a direita): Maria Lucia, Josefina (nossa avó), Teresa, Maria Rosalina e Moisés
Ano aproximado: 1949
Fonte: Arquivo da família

DIA-A-DIA 12 Domingo, 30 de maio de 2010 BOM DIA

■ Minuto de silêncio

Pelos negros e pelos pobres

Ana Marcelina Rodrigues dos Santos, da congregação Missionárias de Jesus Crucificado, viveu para servir

22.2.1946
25.5.2010

Daniela Fenti
daniela@bomdiariopreto.com.br

Em vez de hábito, roupas puídas para se aproximar da comunidade carente.

A freira paranaense Ana Marcelina Rodrigues dos Santos, 64, descobriu sua vocação religiosa aos 15, quando entrou para a congregação Missionárias de Jesus Crucificado, com sede em Campinas. Serviu em Poços de Caldas (MG) e em Campo Grande (MT), mas foi em Rio Preto que passou os últimos 26 anos.

Irmã Ana se destacou pelos projetos sociais no Eldorado. Conhecia os moradores pelo nome, distribuía cestas básicas mensais e fazia orações pelas famílias mais necessitadas. Todo ano, costumava promover ainda uma campanha para arrecadar centenas de presentes para as crianças do bairro no Natal.

Ela também tinha participação ativa entre os afro-descendentes. "Dizia que era bonita por ser negra e incentivava os outros a se sentirem bonitos também", diz a irmã Helena Soares Melo, 72, uma das nove mulheres que moravam com ela na Casa Santo Antônio.

A freira foi citada no livro "Tecendo Memórias, Gestando Futuro: História das Irmãs Negras e Indígenas Missionárias de Jesus Crucificado", publicado no ano passado pela Paulinas.

Entre os eventos realizados, idealizou a celebração pelos 25 anos de caminhada das irmãs negras e indígenas, cujo objetivo era incluir as minorias em reuniões para conhecerem suas origens e seus direitos.

Outra conquista para a comunidade foi a popularização de homenagens na Câmara de Rio Preto no Dia Internacional da Mulher.

"Antes, apenas mulheres da elite eram homenageadas. Ela indicou garis, prostitutas, policiais militares e outras que jamais pensaram em ser lembradas", destaca a irmã Delcídia dos Reis, 77.

Ana Marcelina Rodrigues dos Santos, 64, na Casa Santo Antônio, em Rio Preto

Morte

Ana Marcelina sofria de hipertensão, diabetes e problemas cardíacos. Passou mal no dia 24 à tarde, foi levada para a Santa Casa, mas não resistiu.

A religiosa foi enterrada no cemitério Ressurreição.

Não deixa parentes na cidade. Mas ficam amizades, lembranças e um dever cumprido.

Reportagem sobre a nossa tia, Ana Marcelina
Fonte: Fenti (2010)

Eu sou, porque nós somos

Marielle Franco
1979-2018